Edition originale américaine (1989)
HOW TO SHIT IN THE WOODS
Edition : Ten Speed Press, Californie
© Kathleen Meyer

ISBN 2-913031-16-1
© Edimontagne, pour la traduction française (2001)

Comment chier dans les bois

Pour une approche environnementale d'un art perdu

KATHLEEN MEYER

TRADUIT DE L'AMÉRICAIN PAR
JEAN-MARC PORTE

Edimontagne, 2001

Comment chier dans les bois

*Pour une approche environnementale
d'un art perdu*

Kathleen Meyer

*Pour Père, qui aurait approuvé ce sujet.
En mémoire d'oncle Ernie,
le seul autre rebelle et écrivain de la famille,
dont les lettres m'inspirèrent
pendant de si nombreuses années.
Et à Patrick.*

Edimontagne, 2001

Notes sur l'édition française

Le livre que vous tenez entre vos mains a (déjà) une longue histoire. Depuis sa première édition en 1989, son titre un peu provoc' - ou joliment torché, c'est selon - a fait le tour du monde. Et le travail de Kathleen Meyer trône parmi les "titres cultes" de la mouvance Outdoor aux États-Unis, où il a été lu par des centaines de milliers de personnes, toutes passionnées ou concernées par une notion qui échappe assez largement à l'oreille européenne : la Wilderness.

Ces deux termes d'Outdoor et de Wilderness, intraduisibles littéralement en français, valent que l'on s'arrête un instant sur le fossé culturel qui existe - ou pas - entre nos pratiques européennes et la manière dont les Américains considèrent "leurs" activités de pleine nature, "leurs" territoires sauvages. Allons droit au but sur deux points essentiels, qui tous deux ont à voir avec la lecture de cet ouvrage.

Le premier point est presque d'ordre technique : La manière dont les espaces sauvages sont "gérés" aux États-Unis est (globalement) nettement plus sévère et restrictive qu'en France.

Point numéro deux, plus philosophique : L'écologie "dure", que l'on peut juger fort délirante, voire totalitaire (puisque souhaitant à la limite se passer de l'homme, source de tout dérèglement de la bonne marche "naturelle" des choses) a toujours trouvé aux USA un courant de soutien, soutien quasi inexistant - sous ses formes les plus extrêmes, j'insiste - dans notre vieille Europe.

Fort de ces éléments, on peut se demander de quoi parle Kathleen Meyer. Est-ce un ouvrage participant d'un "écologiquement correct" (toujours...) discutable ? Traite-t-elle d'un sujet qui ne concernerait que les Américains ? A-t-elle une position "restrictive", ou réglementaire quand à nos petits cacas dans les bois ? Est-elle délirante quant au fond ? Va-t-elle (bien !) trop loin ? Car enfin, y a-t-il seulement un "problème" sur le sujet, de ce côté de l'Atlantique ? Cette femme qui écrit posément des dizaines de pages sur le destin de *nos* merdes dans la nature est-elle seulement saine d'esprit ?

J'avoue m'être longtemps posé la question.

Depuis ma tendre enfance, j'ai appris (j'allais écrire comme tout le monde, et pourtant…) à ramasser mes papiers au bord du chemin. Voire aussi ceux des autres. Culturellement "valorisée", cette pratique va de soi.

D'un autre côté, en vingt ans de vadrouille en France, notamment dans les Alpes, mais encore sur des dizaines de treks ou d'expéditions sur les cinq continents, je me suis toujours "débrouillé" pour chier tranquillement (de plus en plus tranquillement, c'est vrai…) un peu partout. Et force est de constater que ce Grand Partout (des tassilis du Hoggar aux sentiers de Chamonix, des grands camps de base de l'Himalaya aux plages d'Oléron, d'un refuge de l'Oisans au sommet de l'Aconcagua) est toujours, à un moment ou un autre, terni de scènes peu ragoûtantes. Dégueulasses. Voire immondes.

Curieusement, nous savons tous très bien de quoi je parle. Tous ? Marcheurs individuels, ou groupes constitués, guides, agences, accompagnateurs, clubs ou fédérations, journalistes de revues spécialisées, gardiens de refuges, que sais-je… J'insiste sur ce "tous" ! Parce que ce "tous" qui se bouche régulièrement le nez en réprimant un haut-le-cœur, et qui bien souvent s'emporte contre ces situations (effectivement…) insupportables, est stricto sensu la *même* population qui génère ces situations. Du GR 20 au Spitzberg, même combat !

Et c'est là, je pense, que Kathleen Meyer mérite attention.

Parce qu'elle parle enfin du secret le mieux partagé du monde "occidental" lorsqu'il voyage, ou lorsqu'il va se promener dans les bois : la merde des autres (avec ou sans oriflammes de papier toilette) nous gène. Et pourtant : la merde des autres, si j'ose dire, c'est (aussi) la nôtre. Nous chions tous "dehors", d'une rando à la journée jusqu'à la traversée de l'Antarctique.

Et sur cette question, nous en sommes véritablement à un degré zéro en terme d'information.

À ma connaissance, il n'a pas été écrit une seule ligne sur ce sujet en France pour le grand public et les pratiquants.

Comment chier dans les bois

Vous pouvez trouver des pages et des pages sur la santé en voyage, les couteaux suisses et les matelas auto gonflants (sur tout, en fait…), mais rien (rien !) sur cette question. Le tabou tient le coup. Randonneurs, trekkeurs, alpinistes, grimpeurs, spéléos, voire chasseurs (pourquoi pas ?) : la seule "consigne" à avoir jamais émergé jusqu'ici, quasi toujours oralement me semble-t-il d'ailleurs, s'est toujours limitée à un prude : "Et prenez un briquet pour brûler votre papier".

Reprenez les catalogues et les fiches techniques des agences de trek, les revues et les magazines, tous vos topos et guides de voyage en tout genre, des plus généralistes aux plus spécialisés : Le même silence y règne.

Vaste silence.

Les techniques décrites dans ce livre représentent ainsi une "somme" (assez inouïe, vous allez le voir…) sur ce domaine top secret. Toutes sont à discuter. Certaines vous sembleront invrai-semblables, inimaginables. Certaines éventuellement "adapta-bles". D'autres (très !) directement utilisables. Toutes sont effectives. Marchent. Et répondent (vraiment) aux problèmes environnementaux que nous générons avec nos merdes.

J'imagine que ce livre "va faire causer". Je l'espère en tout cas. Lecteur (et lectrice !) individuel (le). Mais aussi guides, accom-pagnateurs. Acteurs plus ou moins institutionnels de toutes les disciplines de loisirs, de sports ou d'activités "nature". Il est suffisamment direct, mais aussi drôle et pédagogique que pos-sible en la matière – sur cette matière ? –, pour inspirer chacun, dans son champ ou sur son terrain d'action.

Qui sait. Demain, peut-être, grâce a lui, il ne nous paraîtra pas tout à fait délirant de *ramener* notre caca d'une course en mon-tagne, ou de randonner *sans* papier toilette dans le sac.

Pour l'heure, accrochez-vous.

Vous allez mettre le pied dans un sacré truc.

Vous allez mettre le pied exactement là où vous avez (j'ose le penser !) toujours soigneusement évité de le mettre.

Jean-Marc Porte
Cofondateur de Trek-Magazine

Notes de l'auteur

Pendant de longues années, *Comment chier dans les bois* est resté un vague projet, sous forme d'une collection d'idées et de notes jetées dans un cahier à spirale. En effet, ce drôle de thème se heurtait pour moi à un problème presque insurmontable : sa terminologie.

Comment parler de cette chose, poussée et évacuée de notre corps chaque jour, en lien direct avec ce que nous avons mangé et bu ?

Depuis Adam et Eve, les hommes ont toujours annoncé qu'ils sortaient pour aller pisser, se vider, chier ou en poser une. Même si les références n'abondent pas dans l'histoire, il est probable qu'Eve et ses descendantes en aient fait de même, du moins jusqu'à ce que de fragiles et délicates Victoriennes n'aient commencé à défaillir face à la grossièreté insupportable d'un tel langage. Une certaine préciosité a ainsi contracté une forme d'allergie au langage cru, qui est considéré depuis comme éminemment déplaisant. Je pressens pourtant, certains jours, que les tendances culturelles dicteront un mouvement "en retour" vers ces termes basiques, et que ces expressions (désormais teintées de machisme), sortiront à nouveau de leur catégorie peu élégante, voire vulgaire.

Sans attirance particulière pour la plupart des phénomènes de mode, et pour avoir déjà travaillé avec les mômes de la rue, j'avoue que mon propre langage peut parfois devenir délicieusement cru et débridé. Je salue ainsi les machos (à ce niveau…), pour l'intérêt que possède leur langage "direct".

Mais pourtant : j'étais réellement récalcitrante à l'idée de l'utiliser pour ce livre. Je ne voulais pas commencer par offenser la plupart des lecteurs, puisque l'éducation - et non l'aliénation - était mon objectif. La manière que j'ai trouvée pour dépasser cette difficile question sémantique vaut d'être rapportée.

Dans les conversations de tous les jours, avec des amis de tous les jours, j'admets être assez à l'aise avec les mots *chier* et *pisser*. Mais de là à écrire avec ces mots ? Balayer toutes les alternatives possibles ne donnait pas de solutions satisfaisantes. Lire un livre entier utilisant les mots *uriner, déféquer*, ou encore *éliminer* me semblait juste cliniquement mais déprimant. La simple prononciation du terme *s'accroupir* semblait parler de quelque chose de loufoque : depuis mon enfance, je me souvenais de ma façon précautionneuse de prononcer ce drôle de mot. *Salle de bains* ou *pièce d'eau* sont des euphémismes peu valables dans les bois. Et même *cabane de toilettes* ou encore *toilettes portables* ne conviennent pas… là ou elles n'existent pas ! Quant aux mots *crottes, étrons, fèces, déjections* et autres *bouses*, ils ne conviennent vraiment qu'à la zoologie et aux blagues douteuses. Quant à *pipi, grosse commission, petite commission, caca, aller au pot* ou encore *aller faire ses besoins*, tout cela me paraissait encore trop indirect ou trop mignon.

Ensuite, j'ai tenté de parer au problème en me basant essentiellement sur la description, en évitant d'employer certains termes "délicats" juxtaposés les uns aux autres. Mais ma prose, ainsi orientée, est devenue longue et plate. De plus, j'étais certaine d'être accusée de ne pas appeler un chat un chat. J'étais à nouveau coincée, sans l'ombre d'une solution en vue. Mes pensées ont alors lentement commencé à replonger vers le passé, vers une piste que j'avais ratée. En me souvenant notamment de mon père, qui avait toujours soutenu être dans son droit le plus simple lorsqu'il utilisait le mot *pisser*… puisque Shakespeare l'avait, lui aussi, employé. Cette stratégie paternelle me semblait d'autant plus excellente (même si techniquement il se trompait : c'est Jonathan Swift qui utilisait ce mot) qu'à bien y réfléchir, ma mère si raffinée, avait-elle aussi, au fil des ans et malgré bien des réticences, fini par accepter cet argument. Même si elle n'en vint jamais à utiliser ce mot elle-même, la réprobation qui se dessinait sur son visage à l'énoncé de ce terme finit par devenir presque indiscernable. Ainsi, forte de la longue mais significative évolution de ma mère, une logique enfin défendable finit par prendre corps pour moi.

Les mots imprimés sur des pages sont toujours une manière d'inventer de la vérité (comme le succès de nombreux journaux à scandales l'atteste), ainsi que d'influencer leur usage "acceptable". Des dictionnaires, tel le *Webster's* aux États-Unis, sont souvent considérés comme une source de référence solide.

Une grande émotion m'a ainsi envahie lorsque je me suis aperçu que si dans mon édition de 1957 le mot *merde* n'existait pas, la version de 1988 incluait, elle, ce terme, avec une définition de trois lignes.

Ah, ah ! Vous savez quoi ? C'est l'histoire même de la linguistique en train de se faire, ce genre de découverte !

Enfin, je me suis souvenu de textes qu'E. B. White avait écrit sur le langage, et qui m'avaient frappée, sans doute à cause du choix de ses métaphores - les rivières, vous allez le voir, sont toujours près de mon cœur :

> *Le langage est un flux perpétuel : c'est un courant vivant, déroutant, changeant, recevant de nouvelles forces de centaines de contributions, et perdant ses anciennes formes dans les eaux retirées du temps.*

Le mot *merde* n'a jamais été perdu dans les eaux retirées du temps ! White pourrait sans doute être consterné de ma lecture de son texte, mais sans malice et à ma grande joie, j'ai trouvé d'autres passages dans ses écrits qui finirent par cristalliser, de plus en plus, ma nouvelle rationalité sur la question :

> *Un nouveau mot est toujours prêt à survivre. Beaucoup survivent. D'autres s'étiolent et disparaissent. La plupart, au moins dans leur jeunesse, sont plus aptes à la conversation qu'à l'exercice de l'écriture.*

En aucun cas le mot *merde* ne s'était étiolé. Pendant des centaines d'années, ce mot avait survécu avec aisance. Je savais que c'était un mot ancien. Je l'avais vu écrit en vieil anglais (*sci-*

tian), mais encore en bas anglais (*shyte*). De fait, *chier* abonde dans nos conversations quotidiennes. Et si malgré tout cela le *Webster's* indiquait que son usage restait "vulgaire", j'en concluais que ce mot baignait toujours dans son enfance…

Avec la caution de l'édition de 1988, dont j'avais bien besoin, je me suis alors sentie d'avancer sur les stratégies de mon père. Que je ne sois pas, du point de vue littéraire, l'équivalente d'un Shakespeare ou d'un Jonathan Swift n'était plus le problème. Je me proposais d'essayer de laver ce grand mot qu'est le mot *merde*, en descendant le courant jusqu'aux confluences d'une maturité supérieure, l'océan de l'usage accepté. Là, il pourrait flotter en compagnie des autres mots, prêt à rentrer enfin en résonance avec eux. Et c'est ainsi que j'ai tranquillement pu établir cette promotion du mot *chier* (et *pisser* aussi, avec lui), même accompagné des éclaboussures éventuelles qu'il peut générer.

Merde est un mot superbe, vraiment. Parfois, *merde* devient une vraie petite musique à mes oreilles. Il n'a pas à être susurré, sur un ton moralisateur. MERDE ! OH MERRRDEU ! Un mot plein de couleur, articulé et versatile, qu'il est si plaisant de prononcer, en le laissant rouler sous la langue. Un mot de tous les jours, parfaitement audible (sauf pour les oreilles vraiment bouchées) et remarquablement ordinaire, décent et modeste.

Je pense, par ailleurs, que grâce à cette légitime redéfinition, je pourrais redorer son blason auprès des personnes qui seraient encore choquées par son usage. *Pisser* ne me semble pas, par exemple, devoir être redéfini ici, puisque selon l'*Oxford English Dictionary*, il est lui-même un dérivé de *pisse*. Sa sonorité est culturelle et familière : nous la frôlons dans *piscine*, *pissenlit* ou encore *pistache*…

Pour les trop bien élevés et les vraiment délicats, pour l'amélioration de notre noble langue et peut-être pour la prochaine édition du *Webster*, j'offre (c'est au lecteur d'en décider le degré de honte) à la fin du texte, une définition complète et extensive du mot *merde*. Face à toutes les subtilités du langage, ce mot est étonnamment peu ambigu. *Merde* fait partie, en fait, des mots les plus clairs en usage aujourd'hui…

En terminant la révision de cette seconde édition de *Comment chier dans les bois*, je me suis dit qu'il y a quelques siècles, ce même mot avait du vivre sans ce versant provocant, notamment pour les enfants. Je n'hésite pas, en conclusion, à vous faire part de cette petite histoire :

> *Il était une fois une amie, maréchal-ferrant de son état, qui était assise sur ses toilettes, en train de lire quelques pages de mon livre - en fait les quelques pages qui précèdent celle-ci. Repassant dans sa tête mes théories sur l'évolution du mot* merde, *elle en arriva à l'idée d'inculquer à ses enfants une nouvelle manière de considérer la sonorité de ce mot : "s-c-c-h-i-i-e-r". Leur génération, pensait-elle, pourrait peut-être grandir avec la pleine acceptation de ce mot, réagissant face à lui comme devant les mots* chewing-gum *ou* doudou.*
> *À cet instant, son fils de sept ans passa la tête par la porte des toilettes, lui demandant si elle voulait bien l'accompagner au trampoline. Elle répondit dans une impulsion : "Dès que maman a fini de chier".*
> CHIER ? MAMAN CHIE ? *Les yeux de son fils s'écarquillèrent, aussi ronds que son ballon de foot. Il courut dans le jardin, en hurlant, répandant non seulement pour son frère, mais encore pour tout le voisinage, la grande nouvelle :* MAMAN CHIE *!!!*

Contre cette acceptation victorienne pincée et dégoûtée, harnachée au mot et à l'acte de *chier*, nous ferions tous mieux de repenser le sujet dans sa dimension orientale, où chacun de nos dépôts est considéré comme rendant à la terre la richesse dérobée par les récoltes de l'homme. La merde, – oh merde glorieuse ! – rend toute vie possible. C'est ainsi ! Si nous cessons d'en produire, nous mourrons. Si nous arrêtons d'en faire, la Terre Mère mourra.

Nous pourrions peut-être coordonner les efforts de mon amie maréchal-ferrant en matière d'avancée étymologique, en synchronisant autour du monde une même heure pour dire à tous les enfants de sept ans ce qu'il en est de la merde. Alors, nous pourrions être tous ensemble horrifiés une bonne fois, pendant que nos rejetons annonceraient la nouvelle à tout le voisinage. Et toute cette histoire serait, je pense, réglée en moins d'une semaine…

Table des

Notes sur l'édition française   *7*
Notes de l'auteur   *11*

Introduction :   *19*

Chapitre un :
L'anatomie d'une merde   *23*
Techniques - Styles - Se mettre à l'aise

Chapitre deux :
En creusant votre trou…   *35*
Comment, où et pourquoi creuser un trou respectueux de l'environne-ment - La transmission des maladies intestinales - Les symptômes de la Giardia - Le cryptosporidium - Les types de sols - Localiser les lignes de hautes eaux - La technique du mélange - Les latrines - Les problèmes en hiver - Les problèmes en mer

Chapitre trois :
Lorsque vous ne pouvez pas creuser le trou   *57*
À propos des grimpeurs, des trekkeurs arctiques et autres kayakistes de mer - Les zones très fréquentées - Les écosystèmes sensibles - La technique du Remportez tout *- Les toilettes portables collectives - Les désodorisants*

matières

Chapitre quatre :
La complainte du chieur solitaire 83
Devenir un ramasseur de caca - Les containers individuels - Les toilettes solaires - Des scarabées et autres insectes - La technique du glaçage

Chapitre cinq :
Le trot du trekkeur 95
Les diarrhées - Négocier avec l'inattendu - La prévention - La désinfection de l'eau - Les systèmes de filtres - La protection contre les virus - Où s'informer

Chapitre six :
Pour les femmes seulement : 113
Comment ne pas se pisser sur les chaussures - Les techniques pour pisser - Gérer les problèmes des règles - Les sondes féminines

Chapitre sept : 125
Quoi ? Pas de P.Q. ? - *Ou comment faire sans papier - Les alternatives de la nature - Manger comme un cheval ?*

Quelques définitions du mot merde 134
Postface et remerciements 138

Introduction

En réponse aux appels variés de la nature, *Comment chier dans les bois* présente une série de techniques (toujours expérimentées sur moi-même, souvent dans des poses peu gracieuses), destinées à aider les générations actuelles de coureurs des bois, (oh combien enthousiastes !), mais qui buttent toujours avec autant de maladresse sur ces questions "au-dessous de la ceinture".

Il m'était aussi important de répondre à d'autres sanglots : ceux, plus importants encore, de la nature. Cet ouvrage veut ainsi mettre en avant des précautions essentielles et claires dans la mise en œuvre de ces "toilettes dans la nature", quels que soient les saisons, les climats et les terrains concernés.

Depuis des millénaires, nos ancêtres ont réussi à chier proprement dans les bois. Vous pourriez croire qu'il existe ainsi, pour chacun d'entre nous, une sorte d'instinct relié à ce savoir. La nature reprendrait ainsi tous ses droits lorsque notre colon nous presse, ou lorsque notre vessie gonfle. Mais "ses droits", comme je l'ai appris laborieusement et sans fard, recouvrent pourtant d'infinies petites misères.

Plusieurs saisons en tant que guide sur la rivière Whitewater, à encadrer des clients citadins, ont à la fois aiguisé mes aptitudes pour le sujet, et confirmé que je n'étais pas seule face à ce problème. Souvent, la quantité de sueur du combat anxieux livré dans les buissons était de loin supérieure à celle produite dans les flots rugissants d'un rapide mangeur de rafts. Ces étés passés sur la rivière m'ont ainsi conduite à deux solides conclusions.

Un : ces monstrueux rapides génèrent une constante urgence à aller satisfaire différents besoins, urgence qui amène à bien étudier le deuxième point. Deux : (mais en définitive ce point est numéro un dans l'ordre des préoccupations qui m'ont amenée à réaliser ce livre) : une certaine capacité à chier dans les bois (et n'importe où ailleurs…) n'est jamais si instinctive que cela. J'écris cela d'autant plus douloureusement que j'ai une toute petite vessie. Avec des groupes d'une douzaine de personnes éparpillées derrière les quelques buissons ou rochers qui bordaient les rives du canyon étroit, j'ai découvert qu'il était pratiquement impossible d'aller me soulager sans tomber nez à nez avec certains d'entre eux, figés dans toutes sortes d'expressions et de positions étranges.

En règle générale, un citadin adulte lâché ainsi dans la nature n'a pas à attendre plus de résultats positifs qu'un enfant de douze mois lorsqu'il tente de descendre tout seul son pantalon pour se soulager. Chier dans les bois est un don beaucoup plus ancré du côté de l'acquis que de l'inné, un don généralement perdu désormais, sauf pour les populations encore à l'aise dans l'art de fabriquer du savon, de carder la laine ou de dépecer un bison.

Nous sommes aujourd'hui le résultat de plusieurs générations élevées sur des toilettes étincelantes, reliées à de mystérieux tuyaux, et ainsi accoutumées à de hauts niveaux d'intimité, de confort et d'aisance. Pour une personne habituée au bruit étouffé de la chasse d'eau derrière la porte des toilettes, le même exercice dans la nature peut très vite dégénérer en une désagréable expérience physique, voire dans des situations vraiment embarrassantes, ou, plus souvent encore, dans une longue semaine de constipation volontaire.

Depuis plus de vingt ans, une vague sans précédent pour les activités de nature et les treks exotiques a exploré tous les confins et les au-delà de nos métropoles. Avec la même fureur qui a marqué la course industrielle du siècle précédent, les

Comment chier dans les bois

"victimes" actuelles de cette même industrialisation, tentant d'échapper à la folie urbaine du XXe siècle, recherchent désormais un certain salut dans la nature. Des masses de personnes déferlent ainsi dans les forêts, se ruent vers les sommets et descendent les rivières, laissant derrière eux des quantités de matières fécales et de papier toilette que Mère Nature ne peut plus décemment absorber. Il n'est pas du tout irréaliste de prédire que dans les prochaines années, certains coins de nature virginale pourront révéler des tableaux comparables aux pires taudis du monde. Quiconque revient sur sa plage favorite, sur sa grève bien aimée souillée désormais de déchets, connaît ce sentiment d'horreur. Mais au-delà de l'impact purement visuel laissé par cette présence humaine en constante augmentation, il existe aussi des conséquences écologiques cachées : aux États-Unis, il n'existe malheureusement plus une source ou un cours d'eau, quelle que soit sa limpidité ou son éloignement, dont l'eau ne puisse désormais être bue sans la menace de contracter une Diargiasis, maladie véhiculée par les matières fécales dans l'eau. Cette maladie était encore inconnue au début des années soixante-dix.

À mon avis, lorsque les "autorités" ont pris en main la question de la préservation de la nature, il était déjà trop tard. Les règlements et les obligations imposés par les agences gouvernementales (même si elles sont absolument nécessaires dans beaucoup d'endroits) sont en elles-mêmes de sévères limitations face à la majesté de l'environnement originel, et sont antinomiques avec la liberté d'évoluer dans cette nature. Ces règlements, ces documents à signer, ces fiches administratives et leur coût afférents sont vraiment difficiles à supporter, non seulement parce qu'ils sont imposés par un nombre croissant de visiteurs, mais encore parce qu'ils cautionnent au fond une conception faussement innocente et déresponsabilisante de l'approche de la nature. La volonté de sauvegarder la nature ne vient le plus souvent que de ceux qui l'apprécient réellement. Ce sont eux - nous - qui en sont responsables, en terme de respect, d'attention et d'éducation. Et c'est ainsi à nous qu'il échoit d'apprendre et d'enseigner aux autres où et comment chier dans les bois.

Chapitre I

Anatomie d'une merde

Parler des toilettes n'est pas exactement un sujet très recherché dans l'art de la conversation, mais il fait certainement partie d'un problème commun... Souvenez-vous que je suis une fille d'urologue. Que je soulève cette question peut vous sembler dégoûtant, mais qui sait ? La vie crée certains problèmes basiques qui sont les mêmes pour tous - et à propos desquels nous partageons tous une même réticence.

Katharine Hepburn,
À propos du tournage d'*African Queen*.

Au milieu du XIXe siècle, dans le quartier royal de Chelsea, à Londres, un jeune et industrieux plombier nommé Thomas Crapper agrippa le progrès du bout de sa clef à pipe : grâce à de nombreuses trouvailles sanitaires sophistiquées, il fit faire un bon de géant à sa profession. T.-J. Crapper s'affrontait à des problèmes qui nous occupent toujours aujourd'hui : la qualité de l'eau et son stockage. Confronté aux fuites en tous genres et aux gâchis des systèmes de "chasses à flux continu" équipant les premiers w.-c., systèmes qui mettaient littéralement à sec les réservoirs de Londres, Crapper développa un économiseur d'eau, le *water waste preventer*. Le premier réservoir à siphon, avec alimentation par le haut et arrêt automatique était né, préfigurant l'exacte configuration de nos systèmes actuels. Sa société, la T. Crapper & Co Ld, Sanitary Engineers, Marlboro Works, Chelsea (nom que l'on peut toujours admirer sur les plaques d'égout de l'abbaye de Westminster) fut également maître d'œuvre de la pose de centaines de kilomètres de collecteurs d'égouts londoniens. Tâche qui devenait urgente : la Tamise transportait de telles quantités de matières putrides à l'air libre que sous l'effet désastreux de ses effluves, le parlement avait dû se résoudre à ne plus siéger que tôt le matin, afin d'éviter au maximum ces brises délétères.

Pour les *ladies* victoriennes, qui se plaignaient du caractère gargouillant et glougloutant des w.-c. lors de leurs distingués passages au petit coin, Crapper installa les premiers systèmes silencieux. Des expressions telles que *percer le pudding* ou *ramasser les pissenlits* fusaient dans les conversations lorsque l'absence momentanée d'une lady s'accompagnait de fracas de chasses d'eau et d'échos sonores de tuyauteries. Parmi tant de légitimes titres de gloire revenant à M. Crapper, nous trouvons encore le design "en poire" des abattants de toilettes pour hommes (préfigurant les sièges actuels), ainsi que l'ajout posthume d'un vibrant et nouveau mot d'argot de la langue anglaise : *Crapper* ! (ndt : en anglais, *to crap* signifie "aller chier". *Crap* désignant une merde, un étron).
À l'évidence, T.-J. Crapper était en avance sur son temps. Mais des concepts aussi vagues que progrès ou époques sont parfois curieux. Certaines choses dans l'univers (la pollution, l'utilisation des euphémismes, ou encore tirer très doucement la chasse d'eau des toilettes pour que personne n'entende, pour n'en nommer que quelques-unes) semblent défier le temps, même de siècle en siècle. Mais il y a au moins un étonnant renversement dans nos manières d'aller chier : nos concitoyens aujourd'hui doivent opérer une révolution totale vers le passé,

Comment chier dans les bois

lorsqu'ils ne doivent plus compter que sur eux-mêmes... dans la nature ! Ironiquement, chier correctement dans les bois (c'est-à-dire sans dégâts pour l'environnement comme pour soi-même) peut ainsi être considéré comme un véritable progrès de nos jours. Prenez Henry, par exemple.

Toutes les histoires que vous allez lire sont vraies (pour l'essentiel). Elles ont été tirées, en différentes occasions, de récits d'amis ou d'étrangers volubiles, et parfois suivies de l'ingestion de copieuses quantités de bière ou de whisky. Les noms, seuls, ont été changés, pour éviter tout désagrément aux acteurs.

Haut perché sur un escarpement poussiéreux face au camp, un homme que nous appellerons donc Henry, après avoir grimpé là et s'être caché derrière le buisson qui lui semblait le plus idéal des camouflages, commence à s'accroupir précautionneusement. Loin en dessous, juste sortis de leurs duvets, trois coureurs de rivières troublent à peine la quiétude profonde du canyon envahi des premières lumières. Ils s'activent, en farfouillant dans les sacs, en cassant des œufs, en arrachant des branchages et en renversant le pot de café. À travers le feuillage, notre homme observe les préparatifs du petit-déjeuner pendant qu'il termine sa propre mission matinale. Ronde et ferme, sa commission tombe finalement au sol. Encouragée par une légère gravité, elle roule doucement entre les deux grosses chaussures d'Henry, trouvant sa voie en direction du maigre tronc du buisson idéal, et là, n'en faisant plus qu'à sa tête, s'élance dans l'espace comme un skieur de sa porte de départ. Vous pouvez distinguer la colonne de poussière d'un camion sur une piste bien après avoir perdu de vue le camion lui-même. Tandis que l'objet de bien des efforts disparaît dans la pente, Henry, les yeux écarquillés d'impuissance, suit ainsi la trace insolente d'un nuage du même genre que celui du camion... quoique de moindre dimension. Zigzaguant entre les fortes anfractuosités, l'objet semble investi des pouvoirs d'une bille de flipper enfin libre de son cadre. Augmentant sa vélocité, générant sa propre petite avalanche, il roule et tangue, projetant au-dessus de lui sable et terre... Il dévale la colline à grande vitesse, avant de finir dans un ralenti mortel, de la même essence que ceux qui semblent précéder l'avènement de tout véritable désastre. Dans un dernier rebond, à deux doigts d'accéder aux promesses d'orbites célestes, cette boule folle et libre (poursuivie d'un arc de débris) s'immobilise, dans un dernier bruit mat et une légère pluie de graviers, à moins de 20 centimètres du pied nu de la campeuse qui sert le café.

Avec cette descente indigne étalée sur plus de 50 mètres, Henry, comme n'importe qui d'ailleurs, pourrait bien rentrer de sa première aventure en pleine nature en se jurant bien de ne plus jamais remettre le pied au-delà de la ligne asphaltée qui marque le bout du parking. Certes, laissé à son propre arbitre et avec un minimum de volonté, Henry pourrait apprendre à chier dans les bois. Peut-être. L'amélioration de ses dons par la méthode de l'essai-erreur, l'acquisition d'un minimum de grâce, de facilité et de confiance en lui (sans parler de développement musculaire et d'équilibre) lui prendront sans doute autant de temps qu'il aura fallu aux meilleurs pour y arriver : des années.

Je ne pense pas qu'Henry soit gêné si nous prenons le temps d'examiner dans le détail cet épisode calamiteux de sa vie. Henry peut nous en apprendre beaucoup, et pas seulement par d'évasives comparaisons. En fait, il était même sur la bonne piste, au départ, en s'éloignant suffisamment du camp pour assurer sa propre intimité. Droit au-dessus du camp n'était sans doute pas, par contre, le meilleur choix. Ensuite, il choisit un site avec une belle vue, même s'il ne prend pas vraiment le temps de l'apprécier. D'habitude, je recommande une vue largement dégagée, un paysage ouvert jusqu'à de lointaines montagnes avec de larges pans de ciel. Mais une position plus "refermée", à côté d'un rocher couvert de lichen, une simple fleur sauvage voire même des herbes sèches sur un talus monotone, lorsqu'ils sont calmement étudiés, peuvent offrir bien des niveaux de contemplation.

Plus vous passerez de temps dans la nature, plus vous saurez ce que signifie une vue digne d'inspiration. Une de mes amies appelle ces exercices matinaux, Cours d'Appréciation Avancée de la Marche. En arpentant un canal d'irrigation, pratiquement dénudé de végétation, mais rempli de canettes de bières cabossées, de cadavres d'électroménagers et de tôles automobiles rouillées, elle m'a assuré avoir trouvé son bonheur matinal en contemplant, agenouillée, le lever du jour et le reflet éclatant d'un chardon.

Pour le néophyte lâché dans la nature, trouver un paysage à couper le souffle est essentiel. Ces instants glorieux face à la toute grandeur du monde méritent d'être savourés à leur pleine mesure. Ils remplissent l'âme et ouvrent l'esprit. L'occasion idéale pour communier avec la nature est là, lorsque vous êtes tranquillement assis – oui, assis en train de chier dans les bois ! À moins que vous ne soyez seuls, le restant de la journée peut trop vite se troubler de multiples contraintes sociales ou d'organisation pour passer à côté de ces moments si particuliers.

Mais revenons à Henry, dont la seule erreur majeure fut finalement de ne pas avoir creusé son trou. Ce trou est une donnée à méditer, puisqu'il peut précipiter l'ego d'un homme vers une destruction quasi complète. Un trou approprié revêt une grande importance. Non seulement en évitant des désastres intimes tels que ceux vécus par Henry, mais en prévenant (surtout !) la contamination de maladies et en favorisant la décomposition des fèces. Le chapitre deux est entièrement consacré à cette question du trou.

D'autres éléments sur ce qu'il faut faire (ou ne pas faire) pour préserver sa santé mentale et physique lorsque l'on chie dans les bois peuvent être illustrés en observant le cas de Charles. Il possède sa propre opinion sur ses vêtements et la manière de déféquer dans la nature : il les enlève (ses vêtements). Inutile de dire que cet homme s'éloigne suffisamment du camp et de toutes pistes connexes pour trouver un endroit où il se sent suffisamment en sécurité pour ôter ses braies et se relaxer. Trouvant une souche exempte de fourmis, il creuse son trou du côté opposé à la vue, s'agenouille dos en contact avec la souche, et commence à flotter, vite en harmonie totale avec la symphonie des mouvements de la cime des sapins valsant contre le ciel. Retenez bien cet exemple. C'est de loin le rêve absolu, le dispositif le plus relaxant pour chier dans les bois : un doux flanc de rocher (ou même votre sac à dos en cas d'urgence dans une étendue désolée) peut être utilisé de la même manière…

Tout ceci me semble être le meilleur moment pour partager un détail technique dont l'importance m'a été rapportée un jour par une autre amie, qui me confia son secret : "Chie d'abord - Creuse après". Écrasée par cette confidence, je me tournais vers elle, et nos regards se croisant, mes yeux s'écarquillèrent. Mais bien sûr ! "Chie d'abord – Creuse après !". La seule façon de ne jamais rater le trou ! C'était la solution parfaite ! Parfaite en tout cas pour tous ceux qui pensent à mal. Penser à mal, moi ? Jamais !

À l'inverse de Charles, ma vieille amie Élisabeth connaît la valeur exacte de certains vêtements présumés inutiles. Lors d'un voyage assez exotique (une traversée en bus dans le nord du Nouveau Mexique) le véhicule brinquebalant dans lequel elle avait pris place stoppa, eut égard au manque de toilettes à bord, pour une pause pipi de 5 minutes. Tel un parachute multicolore descendant du ciel sous le désert, la robe ample de Lizzie toucha le sol, et elle put faire se petits besoins comme si elle était dans sa petite cabane privée.

Souvent, pourtant, il est quasi impossible d'obtenir un degré optimal d'intimité. Il y a quelques années, ma collègue Henrietta Alice avait été prise en stop sur une *Autobahn* allemande, en terrain totalement plat et découvert. Incapable de retenir plus longtemps son envie, elle finit par demander au conducteur de s'arrêter. Elle traversa en courant un champ, jusqu'à une butte surmontée d'un buisson solitaire. Là, cachée par les branches, et se sentant loin du trafic, elle s'agenouilla, en relevant l'arrière de sa jupe, qu'elle remonta sur ses épaules comme un châle. La victoire (apparente) d'Henrietta s'arrêta brutalement lorsque, surgie de nulle part, une colonne de jeunes scouts (les vrais gardiens des lieux ?) passa juste sous son derrière dénudé.

Il existe ainsi de nombreuses théories sur le lien entre les vêtements portés et l'art de chier, chacune très intime et personnelle. Avec le temps, vous développerez la vôtre. Edwin, le sujet de notre prochain cas d'étude, a, lui, une nouvelle théorie sur cette question, théorie issue d'une mémorable partie de chasse. Vaut-il mieux les enlever ou les garder, ces fameux vêtements ? Je ne peux toujours pas trancher.

Comment chier dans les bois

Pendant une grande partie de la matinée, Edwin s'était immiscé au cœur d'une chaîne de montagnes, dans un dédale de buissons torturés, à la poursuite d'un éventuel gibier. Traquant sans relâche ni succès, il finit par perdre courage, une fine pluie noircissant encore le tableau. C'est alors qu'un sublime pâturage apparu, d'une telle beauté qu'il convint d'une pause. Sa concentration désormais très loin de la piste du cerf, il se mit à se relaxer. Et devint vite conscient du moindre inconfort physique : chaque muscle fatigué, chaque articulation endolorie, chaque minuscule écorchure se rappelaient à lui, ainsi que la montée en puissance… d'un besoin urgent.

Marchant jusqu'à la souche d'un grand arbre, Edwin accrocha son fusil, releva son poncho et défit ses bretelles. En sifflotant, il s'assit et chia. Et lorsqu'il se retourna en se relevant, pas une trace n'était visible ! Incroyable ! Dans une semi-surprise, Edwin scruta à nouveau la souche, sans rien découvrir de plus. Avec le retour de la pluie, la pensée du camp confortable qui l'attendait sonna pour lui la décision du retour. Il repositionna son poncho, et reprit son fusil. Pour se réchauffer les oreilles, il remit enfin sa capuche. Elle était là. Sur son crâne. Fondant sous la pluie comme glace au soleil…

Le pauvre Edwin n'oubliera pas de sitôt ce fameux jour de chasse. Il marcha près de 10 kilomètres avant de trouver assez d'eau pour se laver. Nous pouvons concevoir qu'il ne fût pas vraiment d'humeur à bien réfléchir à ce qu'il faisait. Souhaitons néanmoins qu'il ne se soit pas directement lavé dans le courant…

Cette question est importante. Pour préserver les cours d'eau de tout polluant et de toute contamination, il est en effet important d'utiliser un récipient, et de se laver bien au-dessus de la ligne des hautes eaux de printemps. Mais j'anticipe, ce sujet étant lui encore traité de A à Z dans le prochain chapitre. Pour l'instant, revenons aux questions techniques qui nous intéressent ici.

Mon oncle Ernie, qui a plus de 86 ans, conseille aux personnes âgées qui ont peur de trébucher lorsqu'elles chient de se tenir à une branche ou à un tronc pour se stabiliser. Ma théorie reste qu'il vaut mieux trouver une place pour (bien) s'asseoir : je suis vraiment du côté de Charles, le rêveur accroupi… Si vous êtes déjà un peu expérimenté, et surtout si vous êtes pressé, disons d'aller pister le caribou ou de prendre la fameuse photo du soleil couchant, vous pouvez essayer cette technique, perfectionnée par un responsable américain démocratiquement élu. Appelons-le Jonathan, le chasseur de daims, ou encore, pourrais-je ajouter, à Jonathan le Poseur : ce type est un spectacle à lui seul, un adagio de mouvements fluides et d'équilibre parfait. Un soir, bien après minuit, à la fin d'un barbecue, j'avais mentionné que je travaillais sur ce livre, et je reçus de sa part une démonstration parfaitement mimée sur le tapis du salon. Adoptant la position du surfeur en plein Hang Ten (genoux pliés et bras étirés vers l'avant), Jonathan creusa donc une tranchée factice de dix à quinze centimètres de profondeur avec le talon de sa botte de cow-boy (ceci ne marche donc que lorsque la terre est suffisamment meuble). S'adressant à ceux d'entre nous encore présents dans le salon, il disserta alors sur les manières de baisser son jean, soit (ce qu'il fit avec le sien…) juste sous les hanches, soit entièrement jusqu'aux chevilles, pointant au passage le fait que les plis et replis du tissu sont très inconfortables sous les genoux, lorsque l'on est assis. Après avoir pris la pose, le temps nécessaire pour que tout soit dit, il jeta son papier hygiénique dans le trou, et repoussa la terre dessus, toujours du bout de sa botte. Au final, il tassa la terre à la manière dont tout bon jardinier finirait la plantation d'une jeune plante. Ce fut un spectacle merveilleux, je dois en convenir. Sauf pour le coup du papier dans le trou - véritable signature planétaire de l'humain sur la piste, j'y reviendrai bientôt. Combien de fois, des profondeurs des sacs de couchage étroits, au beau milieu de bien des campements perdus sous le ciel, est sortie cette fameuse question, souvent d'ailleurs après un bon verre de bière : "Herbert ? Qu'est ce que je fais si je dois aller dehors cette nuit ?". Intérieurement, Herbert doit d'ailleurs se poser lui aussi cette même question de débutant. Ainsi vais-je répondre pour lui.

À moins que la lune ne soit pleine, à moins que vous ne possédiez le même instinct nocturne que les escargots sur mes bégonias, prenez une lampe de poche ou une frontale pour ces sorties. Autant je n'aime rien de ce qui me rappelle la civilisation dans la nature, autant je concède que sur ces terrains peu familiers une petite lampe peut vous éviter un orteil foulé, voire une fracture du crâne (si vous êtes en zone de falaise), ou plus couramment encore aux États-Unis, deux semaines de folles démangeaisons fessières dues à nos plantes urticantes locales.

Bien des personnes ayant contribué à ce livre ont ainsi confessé ce type d'histoire désagréable, où tous "espéraient bien ne pas vivre assez longtemps pour la raconter". S'asseoir sur ces plantes urticantes semble ainsi être la plus commune des mésaventures en matière de défécation nocturne.

Avertissement supplémentaire : disposez d'une *petite* lampe. Les gros projecteurs sont bannis, et peuvent vous mettre très vite en situation périlleuse (physiquement) face à vos amis campeurs : il n'y a rien de pire, dans la beauté de ces nuits hors du monde, que d'être réveillé par le bruit d'un prétendant errant dans les branchages, papier toilette et phare aveuglant en main…

Une observation attentive du terrain fait toujours partie de l'approche recommandée lorsque l'on cherche un endroit pour se soulager. Les plantes urticantes ne sont pas les seuls prédateurs vous guettant dans la nature. Comme le fait remarquer ma vieille amie Ma Prudence Barker, personne ne peut s'accroupir dans un abandon total au beau milieu d'un champ de marguerites (spécialement les marguerites) et espérer s'en sortir indemne. Ma Prudence Baker connaissait ainsi un bûcheron dénommé Loyd, qui avait fait l'expérience (malheureuse) d'être piqué par une abeille juste sur ses bijoux de famille. Bûcheron Loyd jurait que la douleur était bien supérieure à n'importe quelle entaille à la tronçonneuse, blessure par balle ou marquage au fer rouge.

Il est ainsi prudent d'inspecter n'importe quelle zone où vous vous préparez à vous accroupir, les fesses à l'air, afin de prévenir toute mésaventure. Personne ne veut finir en métaphore poétique, comme le sujet de ces vers de Shirley Vogler Meister, intitulés :

L'(Ex) Campeur

Même nourri de la ville, il apprit à camper
et ainsi il aimait trekker dans la rosée et l'humidité
jusqu'à ce qu'un insecte rampant
le trouve accroupi sur son jean béant...

Il est notoire que les serpents dorment lovés sous les rochers ou les souches. Que les fourmis courent toujours un peu partout. Il existe même des endroits dans le monde où, comme l'a découvert l'écrivain voyageur Tom Cahill, personne ne peut aller chier sans un lourd bâton destiné à chasser les cochons indigènes. Surveillez toujours vos arrières ! Pour les dommages que l'on peut vous causer. Ou pour ceux que vous pouvez causer.

Un matin, sur la rivière Oxyhee, dans l'Oregon, notre groupe avait déjà plié le camp, chargé les bateaux et vraiment tout bien attaché. Nous étions prêts à embarquer lorsqu'il devint évident pour moi que mon café du matin était arrivé au terminal de son voyage.

Je criais à tout le monde "Attendez, attendez", en fonçant sur la berge. Je pénétrais dans le chaos des blocs jusqu'à ce qu'un rocher accueillant apparaisse. Baissant mon short, je m'assis et commençai à asperger la surface du rocher.

Il faut savoir que le nord-est de l'Oregon est la terre d'élection du chukar, un cousin de la perdrix. Cet oiseau maigre, ressemblant vaguement à un poulet, est affublé d'une rare réputation de stupidité, et possède en plus un désastreux don héréditaire : un cri vraiment pitoyable. Un coucou avec les hoquets ne pourrait même pas le concurrencer. Les guides naturalistes Audubon décrivent le chukar comme "un oiseau difficile à pister, qui peut épuiser un chasseur (d'abord en volant en haut de la colline. Ensuite en volant en bas)". De mon expérience personnelle, je soutiens que si vous souhaitez manger un chukar au dîner, vous n'avez qu'à marcher vers lui et brandir une pierre dans votre main : l'oiseau viendra gentiment s'écraser dessus.

Combinée à l'incapacité qu'a cet oiseau de produire le moindre effet gracieux en vol, sa démarche saccadée et hésitante au sol semble tout droit le faire sortir d'un vieux film noir et blanc. Ajoutez à cela les longues heures qu'il consacre à piailler misérablement son nom, et vous savez désormais pourquoi le chukar est le sujet de tant de moqueries…

Toujours plantée sur mon rocher, j'appréciais d'un dernier regard circulaire le site du bivouac, l'un de mes favoris sur cette rivière, tout en savourant le bonheur que procure une vessie enfin vidée. Un fort croassement s'éleva : "Chuk-Karr, Chuk-Karr". Un tourbillon de plumes jaillit d'entre mes genoux, se convulsa jusqu'à mon visage dans un battement d'ailes, puis disparut. En me baissant sous le rocher mouillé, je trouvai un nid délicat empli de huit œufs tout chauds, nid désormais transformé en résidence avec vue au bord d'un lac… de pisse. Dans un brusque retour de Karma, tous mes ricanements abusifs et mes moqueries pompeuses, tous mes rires aux dépens de cette pauvre espèce me sont revenus dans la figure. J'avais honte. Du sommet d'un bloc voisin, la mère révoltée me fixait des yeux. En revenant vers la berge, je maudissais les dieux de ne pas m'avoir donné des sens plus aiguisés, et je me suis promise, ce jour-là, d'avoir de plus fortes exigences face à ma (mé)connaissance du milieu naturel.

La plupart des cas évoqués ci-dessus sont, bien entendu, des scénarios du pire. Je ne les ai pas rapportés pour vous éloigner des bois, mais pour en souligner les réels dangers et suggérer, du coup, comment les éviter. La vie elle-même est risquée : on peut se cogner l'orteil, ou avaler son déjeuner de travers, quel que soit le jour de la semaine. Voire pire. Avez-vous déjà essayé de trouver des toilettes en grande banlieue ? Une opération sans conteste beaucoup plus frustrante que n'importe quelle mésaventure dans la nature. Quelqu'un (pas moi) devrait vraiment écrire un guide sur ce thème : Comment chier en ville ? Je n'ajouterai que ceci : les désastres du comment se soulager en ville peuvent être beaucoup plus humiliants que ceux qui se déroulent dans les buissons. Je ne peux m'empêcher de considérer les gérants, vendeurs, et autres employés de magasin que comme des monstres de contrôle et de régularité, "faisant" à la maison le matin, et capables de tenir toute la sainte journée sans faire la moindre "gougoutte", (comme aurait dit ma grand-mère, qui était de Brooklin). Si des toilettes puantes, couvertes de saletés, existent bien quelque part dans une arrière-salle, il semble toujours que cette information soit toujours gardée aussi secrète que le plan du prochain coup d'État. En flânant en ville, combien de fois me suis-je heurtée à des portes verrouillées, placardées de "Hors service", de "Pour employés seulement" et autres "désolés, nous n'avons pas de toilettes". Le seul recours consiste souvent à foncer à la maison, en espérant y arriver à temps. Personnellement, je préfère la campagne, merci.

Donc : bougez-vous. Dénichez votre endroit privé. Un (vrai) "lieu d'aisances", comme diraient les puritains. Trouvez votre point de vue panoramique à vous. De ceux qui ne s'obtiendront jamais avec un franc dans la soucoupe et un quart de tour sur le verrou, fût-il en or.

Allez-y !

Chapitre II

En creusant votre trou...

Le paysage est sacré. Il doit être lu ainsi, dans son texte.
Seamus Heaney, *Réflexions*

Lorsque nous essayons de saisir une chose en elle-même, nous la trouvons finalement reliée à tout ce qui existe dans le reste de l'univers.
John Muir, *Daily Journal,* 1869

Désormais, nous voilà arrivés aux choses sérieuses. Les gens – les avocats d'affaires, les femmes de séducteurs, les candidats à la présidence des États-Unis – veulent tous savoir comment enterrer leur merde. Ce chapitre décrit précisément où et comment creuser ces trous qui favorisent une rapide décomposition des fèces tout en prévenant la contamination des cours d'eau, fournissant par là même la meilleure protection possible à la bonne santé des hommes, du royaume animal et de la planète. Car avant même de bien saisir l'importance qu'il y a à creuser ce petit trou individuel dans la nature (également dénommé *trou de chat*), il est nécessaire d'envisager notre merde dans son sens global. Essayer de l'envisager, c'est là toute la difficulté de l'exercice…

Où finit exactement la somme des excréments produits sur la planète ? Ce n'est pas une question très agréable. Qui parmi nous pense vraiment à la destination finale de ce qui disparaît, aspiré dans l'œil du tuyau, à chaque fois que nous tirons la chasse ? Peut-être personne. Ce type de réflexion (consciente) n'est pas de mise, sauf parfois, en de rares occasions, lorsque nous en sommes réduits à appeler une entreprise pour déboucher une fosse septique.

Quelle que soit la manière de l'envisager, la dimension physique et concrète de cette accumulation d'excréments dépasse notre imagination. Néanmoins, appelons-en à la préhistoire - par-delà les montagnes et les continents, vers les temps mésozoïques -, et essayons de penser notre présent à partir de là. Commençons donc avec les dinosaures.

Il est infiniment probable que les stégosaures et autres tyrannosaurus rex se délestaient de volumes sensiblement équivalents à la taille d'une Cadillac. Les tumulus laissés par le mammouth à poil long devaient être légèrement plus petits, disons de la taille d'un coupé sport, ce qui demeure fort respectable. À ces volumes, ajoutez ce que laissaient les hommes (et les femmes) de Cro-Magnon et leurs tribus nomades. Ajoutez les fèces des ours blancs, des ours bruns, des gorilles, des hippopotames et des girafes. Ajoutez les bouses de bisons. Ajoutez les crottes de tigres et de rhinocéros. Puis continuez avec les restes des Romains (rappelez-vous de leurs orgies gloutonnes), des Vikings (qui s'empiffraient au-delà du possible), et encore des hommes, femmes, et enfants d'aujourd'hui (eh oui, les enfants aussi, à qui il arrive, comme chacun le sait si bien, de faire leurs besoins). Additionnez les cacas des éléphants et des lions, des daims et des antilopes, des souris et des kangourous, des caribous et des rennes. N'oubliez pas toutes les espèces volantes, qui chient aussi (du ptérodactyle aux perruches). Et saupoudrez encore tout cela des déjections des cochons, des chiens, des chevaux, des vaches, des lapins, des chouettes, des chats et des rats. Même si vous approchez vaguement de l'idée de ce que cela représente, vous n'avez qu'une vague estimation de l'ampleur probable des dégâts !

Tous ceux qui ont été responsables, un jour, de la propreté d'une litière de chat savent combien les crottes possèdent une tendance inhérente à s'accumuler aussi vite que le courrier en retard. Et n'importe qui ayant traversé le plus petit pâturage avec des vaches s'est - au moins pendant quelques secondes - émerveillé de la taille des tartes fripées disposées au sol (et je ne parle même pas des tentatives de transformer ces bouses séchées en frisbee). Maintenant, multipliez ne serait-ce que le contenu d'une seule litière de chat, ou le volume d'une seule bouse de vache par 230 millions d'années... Vous frôlez là une idée de l'infini !

Depuis la toute première crotte initiale, échappée de la vie naissante sur notre sphère, la Terre Mère a vaillamment su absorber tous ces déchets fécaux dans une éblouissante démonstration de ses capacités de recyclage naturel. Reste qu'un trou sans fond, ça n'existe pas : il arrive un moment où la quantité de déchets devient de loin trop importante pour être tranquillement dissimulée sous le sein généreux de Mère Nature.

Prenez, par exemple, tous les campeurs présents lors d'un week-end ensoleillé dans un parc national, et imaginez-les telle une horde de bisons occupant un espace sensiblement égal à celui de votre petit jardin. Ou imaginez un bateau de réfugiés, tanguant et roulant jusqu'au mal de mer sur un océan démonté, transféré pendant deux mois dans votre cinéma favori... sans toilettes. En l'absence de tout système sanitaire en ordre de marche et capable d'avaler cette production, l'accumulation de matière fécale devient rapidement un problème sanitaire majeur, pouvant parfois générer des conséquences catastrophiques.

Dans de telles situations, certaines maladies trouvent un terrain idéal à leur expansion. Les épidémies de ce genre, sans même penser aux dégâts esthétiques, sont classiques dans les régions où le tonnage de matières produites dépasse les capacités locales d'absorption. Les maladies transmises par les matières fécales sont endémiques dans la plupart des pays développés, et sont loin d'être absentes aux États-Unis même.

Il y a encore une bonne quinzaine d'années, personne n'aurait jamais imaginé qu'il était peu sûr de boire directement dans l'eau d'un torrent de montagne. Vous n'aviez qu'à vous allonger sur le sable d'une crique, et plonger votre visage dans l'eau pour boire. En 1977, les très sérieux Guides de Randonnée du Sierra Club pointaient encore cette notion (de boire directement dans les cours d'eau sauvages) comme l'un des "plaisirs particuliers" des balades retirées. En 1968, Edward Abbey écrivait dans *Désert Solitaire* (Nouvelles Éditions, New York, 1985) :

> "Finalement, lorsque tard dans l'après-midi, je tombais - cuit de soleil, les yeux brûlés, racornis comme une vielle tranche de bacon - sur ce courant bleuté qui sortait du fond du canyon tel un mirage, j'étais trop épuisé pour me poser et boire sobrement depuis le bord. Comme dans un rêve, je me mis à patauger dans l'eau profonde jusqu'à la poitrine, et je me laissais tomber en avant, presque délirant. Devenu éponge, je me lavais pore par pore de ma sueur, laissant le courant me pousser sous les feuillages surplombant des saules pleureurs. Je n'avais pas peur de me noyer dans cette eau : j'allais la boire toute."

Désormais, nous ne pouvons plus la boire toute - pas plus que nous ne pouvons en boire une simple goutte sans risquer d'être malade. Ou à moins de la purifier. D'après le Centre fédéral pour le contrôle et la prévention des maladies d'Atlanta, aucune eau de surface dans le monde n'offre la moindre garantie de ne pas porter de microscopiques kystes responsables d'une maladie parasitaire appelée Giardia. C'est une maladie difficile à éradiquer, que ce soit dans la nature ou dans le corps humain. Même si elle n'est pas mortelle pour les adultes en bonne santé, ce peut être une affection déplaisante, handicapante, et dans certains cas, chronique. Pour les jeunes, les personnes âgées ou fragiles, cela peut être pire. Il est également possible de contracter la maladie, sans aucuns symptômes, et d'en être un porteur sain. La Giardia est une maladie relativement nouvelle pour la communauté médicale, et l'information du grand public peut être un bon vecteur de prévention. Dans ce but, je reprends ici la liste de ses symptômes spécifiques :

Les symptômes de la Giardia :

1. D'importants volumes de selles malodorantes, fluides (mais pas liquides), sept à dix jours après ingestion des kystes, accompagnés de distension abdominale, de flatulences et de crampes, se manifestant notamment après un séjour à l'étranger ou en pleine nature.

2. Survenue de diarrhées irrépressibles sept à dix jours après ingestion des kystes.

3. Nausée, vomissements, perte d'appétit, maux de tête et fièvres peu importantes.

4. Ces symptômes précis peuvent durer entre sept et vingt et un jours, et peuvent devenir chroniques ou intermittents par la suite.

5. Pour les cas chroniques, une perte significative de poids peut se manifester, due à un processus de digestion perturbé.

6. Dans les cas chroniques, des selles importantes, déliquescentes et malodorantes peuvent persister ou réapparaître par intermittence (elles peuvent flotter et être de couleur claire).

7. Les syndromes chroniques peuvent inclure des flatulences, des retours gastriques, une constipation et des crampes dans le haut de l'estomac.

8. Beaucoup d'individus, sans le savoir, sont porteurs asymptomatiques des kystes.

[Si vous avez contracté une Giardia, vous devez consulter un médecin pour des analyses de selles et obtenir un traitement approprié, même s'il est admis que la plupart des cas guérissent spontanément entre quatre et six semaines. Comme pour n'importe quelle maladie à caractère diarrhéique, réhydrater correctement le corps est essentiel. Gardez en tête que les données ci-dessus ne sont pas spécifiques, et peuvent recouvrir d'autres types de problèmes. De fait, lorsque l'on effectue aujourd'hui des analyses de fèces, il est recommandé de rechercher à la fois la Giardia et un autre protozoaire répandu dans les eaux de surface, le Cryptosporidium, traité plus loin dans ce chapitre.]

L'extension actuelle du parasite de la Giardia lamblia dans les zones de pleine nature est une histoire intéressante, quoiqu'encore fragmentaire. Bien que ses modalités de transmission soient toujours sujettes à l'étude, il a été prouvé que cette transmission pouvait passer par les animaux et les hommes. Comme pour beaucoup de maladies intestinales de ce type, la Giardia se répand par transmission fécale/orale, ce qui signifie que l'organisme infectieux est présent dans les fèces et gagne un nouvel hôte, ou une nouvelle victime, par la voie orale. Le protozoaire de la Giardia lambia possède un cycle de vie en deux temps : pendant le stade actif, il se nourrit et se multiplie dans les intestins de l'hôte, et ces Treophozoïdes *vivants* meurent rapidement lorsqu'ils sont expulsés dans les fèces. Durant l'autre stade dit "dormant", les kystes, qui sont eux aussi passés par les matières fécales, sont beaucoup plus résistants, et capables de survivre dans un environnement extérieur.

La transmission directe fécale/orale des kystes de Giardia est un problème dans les maternelles et autres institutions antéscolaires. Ce type de transmission par contact direct entre personnes (mais aussi par le biais de nourriture contaminée) peut être facilement éliminé dans la nature par une attention particulière au lavage des mains. Mais c'est la transmission par l'eau qui pose le plus gros problème. Une fois que les kystes sont présents dans un lac ou une rivière, ils peuvent rester viables pendant des mois, spécialement dans les eaux froides.
Les kystes de Giardia ont ainsi été découverts dans les torrents de montagne naissant après les chutes de pluie et qui rejoignent parfois les principaux cours d'eau. Les concentrations sont plus ou moins fortes suivant les rivières ou les ruisseaux observés, et les études démontrent que la répartition et la densité varient selon les saisons et les régions. Il est toujours possible de boire directement une gorgée d'eau, mais le risque n'en vaut plus la chandelle. Techniquement, dès que l'eau tombe du ciel et coule sur la terre, ou sourd à la surface d'une source, il est possible que les kystes de Giardia s'y trouvent. Quelques kystes seulement suffisent à causer cette infection, s'ils sont ingérés et pénètrent dans votre système intestinal. Dans l'ouvrage *Mange, bois et sois attentif* (réédition de California Wilderness Coalition

dans *Headwaters,* Friends of the River, mars/avril 1984),
Thomas Suk expose les différents scénarios par lesquels les
matières fécales contaminent les eaux :

> "(…) par dépôt direct par les humains ou les animaux
> dans l'eau, ou dépôt près de l'eau où les kystes peuvent
> être transportés par écoulements, ou élévations de niveau,
> érosion, ou sous les pieds des humains ou des animaux.
> Les kystes peuvent également être transportés dans l'eau
> par la fourrure d'animaux s'étant roulés dans des fèces."

La Giardia est aujourd'hui présente chez la plupart des animaux, avec des porteurs repérés chez les poissons, les oiseaux,
les reptiles et une trentaine d'espèces de mammifères. Les
déjections animales continuent de contaminer des points
d'eau, même si la question de savoir exactement combien sont
aussi transférées par les humains (ou vice-versa) reste assez
obscure. Les castors et les rats musqués, qui passent leur vie
dans l'eau, sont désormais des porteurs identifiés. Mais la plus
désolante donnée sur cette maladie reste que ce sont bien les
humains qui semblent jouer un rôle prépondérant dans sa
diffusion mondiale.

Avant les années soixante-dix, il n'y avait pas de cas d'eaux
infectées par la Giardia aux États-Unis. Les premières observa-
tions ont été enregistrées à Aspen, dans le Colorado, en 1970.
Les années suivantes, de nombreux dossiers furent établis, pro-
venant essentiellement de voyageurs revenant de Leningrad.
L'explication de ce fait assez particulier repose sur deux facteurs : l'Union soviétique, à cette époque, commençait à
s'ouvrir assez largement aux voyageurs et les réservoirs d'eau de
la municipalité de Leningrad étaient infectés de kystes de
Giardia. Avec l'apparition de cette maladie aux États-Unis, les
débats et les spéculations allèrent bon train, accompagnés
d'une vague d'études sur les origines et modes de transmission
entre les espèces. D'où cela venait ? Qui le donnait à qui ? Qui
était le principal responsable de sa transmission : les animaux
ou les humains ? Que fallait-il faire désormais ?

Une théorie répandue, qui semble exonérer l'homme de toute
responsabilité, soutient que la Giardia a toujours été "par là"

– depuis des millénaires – et que son existence actuelle ne tient qu'aux progrès actuels en matière de diagnostique. "Par là" est sans doute l'un des points faibles de cette théorie. La Giardia peut avoir été quelque par *par là*, mais où ? Dans les Sierras ? Dans les montagnes Rocheuses ? Indéniablement, il existe de part le monde bien des cas rapportés sur la Giardia depuis sa découverte en 1681. Mais je ne peux m'empêcher de me souvenir que pas mal de fanas de rivières, dont moi-même, avons bu dans des points d'eau de tout l'ouest des États-Unis et du Canada entre la fin des années soixante et le milieu des années soixante-dix sans jamais être revenus avec une attaque de Giardia. D'autres troubles intestinaux, à l'occasion, mais pas la Giardia. Ce n'est qu'à la fin des années soixante-dix et au début des années quatre-vingts que nous avons commencé à entendre parler parmi nous de plus en plus de cas irréfutables de cette "nouvelle maladie". Il semble peu probable que nous ayons tous été des porteurs asymptomatiques ou simplement mal diagnostiqués.

Pour mieux cerner vers quelle explication je penche sur cette question du : "où repose exactement la responsabilité de la diffusion de cette maladie", je vous livre encore quelques réflexions. Si elle n'était due qu'aux animaux, il semble que la progression, de castor à castor, aurait dû se faire à un autre rythme, s'étendant sur une longue période – des centaines, voire des milliers d'années (peut-être sans nous atteindre jamais, comme le suggèrent les théories de sélection de Darwin, ou la construction des systèmes immunitaires). Or, il est reconnu qu'à la fois les humains et les animaux peuvent répandre - et répandent - cette maladie. Il est encore utile de rappeler que les animaux, qui peuvent se débarrasser tout seuls de la Giardia durant les mois d'hiver, ne peuvent être réinfectés au printemps que par... les hommes.

Il y a quelques années encore, les eaux sauvages de la Nouvelle-Zélande étaient répertoriées comme étant exemptes de toute Giardia. C'était sans doute essentiellement du aux lois très strictes en matière d'importations locales sur les denrées et les animaux domestiques, ainsi qu'à l'isolement naturel de l'île, et/ ou à l'absence de mammifères aquatiques indigènes. En 1991, nous avons appris avec tristesse que la Giardia avait atteint les eaux immaculées de ce pays. Les années suivantes, à l'autre bout de la terre, une autre région vierge succombait : le Parc national de Nahanni - un secteur reculé des territoires du Nord-Ouest canadien, accessible uniquement par avion.

Un autre parasite, répondant à l'impressionnant nom de Cryptosporidium (causant la Cryptosporidiosis), est aussi aujourd'hui présent dans les eaux de surface, et ce, d'après une étude, de manière beaucoup plus fréquente, et en plus grande concentration que la Giardia. Le Cryptosporidium est assez connu pour les Américains : responsable d'une contamination de l'eau à Milwaukee qui a affecté près de 400 000 personnes, il a fait les grands titres des journaux en 1993. Ce protozoaire est proche de la Giardia sur de nombreux points : transmission fécale/orale, propagation intestinale, il est viable dans l'eau sur de longues périodes, susceptible de passer entre humains et animaux, et de causer des symptômes aigus, à potentiel éventuellement chronique. Il peut enfin exister chez des porteurs asymptomatiques. Le Cryptosporidium, cependant, est très résistant au chlore. Beaucoup plus que la Giardia. Les quelque vingt et un millions d'Américains qui dépendent d'une alimentation en eau traitée au chlore (mais non filtrée) sont tous exposés potentiellement à ce risque. Inutile donc de rester sagement à la maison en pensant éviter de boire de l'eau contaminée. Car pour les randonnées dans la nature, il existe de multiples systèmes de filtres à eau qui éliminent tous les protozoaires parasites.

Avant de boire, voici ce que vous devez faire : traitez toutes les eaux de surface (lacs, torrents, chutes d'eau…). Traitez l'eau des sources, à moins que celle-ci ne soit contenue par un réservoir en béton qui garantisse le fait qu'il ne puisse pas y avoir de contamination entre la surface de l'eau et des fèces animales. Le long des pistes des Appalaches, vous trouverez ces bassins autour de quelques sources. Gardez en tête que l'eau n'est bonne que si le réservoir est en état. Les sources aux bassins cassés, ou fendus, sont suspectes. Enfin, traitez même l'eau du robinet dans les pays en voie de développement, et partout où le recommandent les autorités américaines (voir à ce sujet la section sur le traitement de l'eau, chapitre IV).

En dernière analyse, dans cette quête inachevée pour déterminer avec précision les raisons de l'extension de la Giardia et du Cryptosporidium, un élément dépasse tous les autres : c'est un sujet de profonde responsabilisation que de reconnaître l'extension potentielle de notre impact sur le règne animal. Trop souvent, nous manquons de recul pour prendre pleinement en compte les cascades de conséquences alimentées par nos agissements à la va-vite et nos solutions expéditives, qui se répercutent pourtant sur bien des niveaux. Ces agissements nous reviennent parfois en pleine figure...

Ces questions ont un autre intérêt : elles nous enseignent que nous sommes capables de répandre un vrai problème sanitaire sur terre aussi facilement que nous y prenons nos vacances. Pensez-y. Quel autre animal que l'*Homo sapiens* peut avaler un rogani grillé en Inde, ou un kalaya e khass en Afrique du Sud, sauter dans l'avion, et déposer l'étron final de tout ça dans un coin perdu du Colorado ?

Permettez-moi une dernière réflexion sur la dimension globale de la propagation des maladies, avant d'empoigner notre pelle pour creuser notre trou. Dans la plupart des pays africains, mais encore dans certains endroits du Moyen-Orient et de l'Amérique du Sud, la surface des eaux est infestée de Schistosomes, qui causent la Schistosomiasis, (plus connue en Europe sous le nom de bilharziose, ndt). La présence de ces amibes interdit toute baignade ou toute marche dans l'eau, car leur mode de pénétration se fait par la peau. Dans ces eaux, même le grand militant écologiste Edward Abbey n'aurait pas trempé son gros orteil, pourtant tanné ! Par chance pour nous, en Amérique du Nord (mais pas encore en Europe, ndt), l'une des étapes du cycle de la vie du Schistosome passe par un escargot porteur qui ne vit que sous les tropiques. Mais là encore, qui peut jurer que dans le futur, un changement mineur dans le système de régulation de cette douve du sang ne pourrait pas rendre ce parasite compatible avec l'escargot de jardin de nos zones tempérées ? Personne ? Mais si ce n'est pas la bilharziose, alors quelque chose d'autre est sans doute tout à fait prêt à débarquer sur nos rivages (ou l'a probablement déjà fait).

La meilleure ligne de défense pour protéger nos territoires sauvages, la faune sauvage et nous-mêmes, est doublement fastidieuse à tenir, quoique très simple : il nous reste à développer de scrupuleuses habitudes - creuser des trous respectant l'environnement pour enterrer nos merdes - et beaucoup d'énergie pour transmettre cette éducation aux nouveaux venus.

Bien. Maintenant, sortez vos pelles de randonnée ou vos vieux outils de l'armée et préparez-vous à creuser. Pour tous ceux qui n'ont pas d'outil adéquat, le *U-Dig-it*, (vendu entre 20 et 25 $ par la maison **U-Dig-it**, 3953 Brookside Lane, Boise, ID 83703, tél. : 208-939-8656) est une petite pelle qui tient dans la main, avec une poignée pliante et un étui de ceinture. Vous pouvez presque planter des arbres avec cet instrument, et ne l'échangez jamais avec les nombreux modèles moins chers et inutilisables… Il a été testé dans des écoles de survie de l'armée, et est garanti contre la rouille ou la casse pendant 5 ans. Choisir un site adapté pour le trou-toilette demande quelques connaissances et un peu de préparation. L'objectif lorsque l'on creuse ce trou est de bloquer la dissipation d'organismes porteurs de maladies, que ce soit via les humains, les animaux, les éléments, ou encore par les insectes volants, afin d'empêcher toute contamination des eaux avoisinantes.

Il n'y a pas une règle unique pour tous les types de terrain, de saisons et de climats. En réalité, il existe une telle quantité de variables et de combinaisons que l'on pourrait croire qu'il faudrait posséder trois ou quatre doctorats pour s'en sortir. Un exemple : le taux de décomposition des matières fécales enterrées est largement lié au type de sol et à sa texture, à son pouvoir filtrant (mesuré en taux de percolation), à son taux d'humidité, à la pente du terrain, à son exposition, à sa population d'insectes, à son pH et à sa température.

En terme de protection de l'environnement, le "raisonnable" se situe entre l'attention aux eaux avoisinantes et la meilleure vitesse de décomposition. Le coin idéal pour une décomposition rapide (*rapide* étant ici très relatif : dans les meilleures conditions, une merde humaine met plus d'un an à disparaître) est un sol entre sec et humide (mais pas complètement détrempé) avec un humus et des bactéries en abondance.

Visualisez l'endroit parfait comme étant à l'ombre de la végétation (ou même de rochers) mais pas dans une zone de drainage sensible aux intempéries, ni sur un site inondable par intermittence, ou sujet aux hausses annuelles du niveau des eaux.

Des fèces sur un sol extrêmement sec, dans un endroit dégagé ne risquent pas vraiment d'être balayées par des eaux intermittentes. Reste que sur ces sols difficiles à creuser, à l'activité bactérienne déficiente, tous les dépôts s'endorment presque pour l'éternité avant de se décomposer. Au-delà des forêts en altitude, ou sous les climats "en dessous de zéro", l'activité bactérienne du sol est quasiment inexistante. Il est alors préférable de *ramener vos cacas avec vous* – sans rire ! – ou au moins quelque part où ils peuvent être enterrés de façon efficace. Dans certaines conditions très précises, il existe une option supplémentaire : *le glaçage*. Les procédures concernant ces deux techniques très différentes sont décrites dans le chapitre III.

Si vous rêvez de devenir un expert en matière d'enfouissement, ou si toutes ces variables vous remuent l'esprit, Harry Reeves a écrit un article fascinant, reprenant les résultats d'une vaste étude : Les Dépôts des déchets humains dans les montagnes de la Sierra (*Wilderness Impact Studies*, San Francisco : Sierra Club Outing Committee). Comme l'a si bien écrit un philosophe du vingtième siècle, "Un individu ne peut faire seulement que ce que peut faire un individu". Ainsi en va-t-il de cette quête du trou idéal. Notre but, cependant, devra être de creuser des trous qui soient "écologiquement corrects" et esthétiquement acceptables, pour autant que notre inexpérience nous le permette et que le reste de ce chapitre vous soit utile…

La réflexion première, en choisissant votre petit coin, est d'éviter que les fèces ne soient entraînées ou lessivées vers tout cours d'eau. Même enterrées dans le sol, les bactéries dans les déchets humains sont capables de voyager à distance respectable. Choisissez un endroit éloigné des criques, torrents et lacs. Cinquante mètres sont la distance généralement recommandée, même si ce chiffre est difficile à appliquer systématiquement ailleurs que près des lacs. (Les réservoirs de barrages, par exemple, avec de fortes variations de niveau, même très souvent dénommés lacs, ne sont pas de "vrais" lacs). Les canyons creusés par les eaux offrent, eux, de nombreuses configurations. Dans certains, vous pouvez marcher pendant 5 kilomètres et toujours être dans leurs zones de drainage, alors que dans d'autres, vous n'aurez qu'à grimper un tout petit peu pour être dans un coin à l'abri de tout passage des eaux.

La meilleure attitude, c'est de toujours rester au-dessus - voire bien au-dessus - de la ligne des hautes eaux de printemps. Cette ligne n'est pas toujours évidente à localiser. Dans certains terrains elle peut même être très peu marquée. Mais avec un peu d'expérience, vous serez capable de la situer.

Les grandes crues du printemps, générées par les fontes des neiges, charrient souvent des tas de débris : graviers, rochers, blocs, branches, souches et mêmes des troncs d'arbres. Invariablement, lorsque le niveau culmine, puis se stabilise avant de redescendre, certains de ces débris échouent sur les rives, ou s'accrochent dans la végétation, matérialisant une ligne assez horizontale. Dans les canyons étroits, lorsque vous y barbotez en saison de basses eaux, cette ligne peut être très haut au-dessus de vos têtes. Vous pouvez regarder le ciel et remarquer un sacré tronc d'arbre coincé bizarrement sur un bloc de la taille d'une maison, perché si haut qu'il semble que seul un géant ait pu le poser là.

Un autre signe marquant la ligne des hautes eaux est représenté par les traces d'érosion - souvent des baignoires rondes creusées dans le rocher - laissées sur les falaises des canyons. Certains cours d'eau ne connaissent que des régimes de crues violentes ne se déclenchant qu'au printemps, ou lors de gros orages, et restent totalement à sec le reste du temps. Apprenez à identifier les zones de drainage du terrain - les points bas, les fonds de canyon, les goulottes d'érosion, les zones sèches mais susceptibles d'être inondées… Demandez aux locaux de vous indiquer jusqu'où peut monter la rivière pendant les crues de printemps. Progressivement, vous apprendrez à estimer correctement ce niveau presque uniquement au vu de la forme et de la profondeur du canyon. Lorsque vous doutez - grimpez ou passez plus haut : l'an prochain ce sera peut-être l'année de la grande crue trentenaire…

Les paysages en hiver demandent encore plus de dons d'observation. Les lignes des hautes eaux sont effacées sous la neige et les congères. La nature du terrain, sous ce linceul, est difficile à déterminer, et les chances de chier sur le lit d'un torrent bien caché augmentent encore lorsque vous n'avez pas la moindre idée de la configuration du coin… en été. Évitez les surfaces planes et régulières, qui recouvrent un étang gelé ou un pâturage, et qui redeviendront d'une manière ou d'une autre en été des confluences de réseaux alimentant d'autres cours d'eau. Le meilleur conseil reste de viser, là encore, les points hauts. Dans la neige profonde, ou par des températures en-dessous de zéro, lorsque vous ne pouvez pas creuser dans la terre gelée, ou que vous ne pouvez même pas l'atteindre, revient à nouveau cette recommandation : Ramenez tout.

Une bonne nouvelle, après tout ça ? Quand on creuse son trou, on n'a pas besoin de creuser jusqu'en Chine. C'est même plutôt le contraire : les enzymes les plus efficaces pour résorber les excréments vivent dans les vingt-cinq premiers centimètres de profondeur. Il est généralement conseillé de creuser votre trou sur 15 à 20 centimètres. Cette couche de terre suffit à interdire tout contact avec les animaux et empêche la transmission pathogène vers d'autres sources.

Mélangez tout (*Stirring*, dans le texte, ndt) est une nouvelle et brillante technique que nous devons tous apprendre et utiliser. Il s'agit de "mixer" les matières que nous avons déposées dans notre trou avec un peu de la terre extraite, avant de tout recouvrir. Le but de la manœuvre étant d'améliorer la vitesse de décomposition en donnant aux bactéries du sol le meilleur contact possible avec les matières fécales. Utilisez un petit bâton pour l'opération, un truc que vous pouvez laisser dans le trou plutôt qu'un outil à remettre à la ceinture ! Anticipez. Ramassez ce fameux bâton lorsque vous allez sur le site de votre mission, et quand vous commencez à creuser, laissez un peu de terre de côté. Lorsqu'il n'y a aucun bâton, soyez créatifs. Utilisez une pierre. Amenez quelques bâtons d'esquimaux dont vous souhaitez vous séparer. Soyez conscient que "pas de bâton à l'horizon" peut signifier que vous êtes sur un terrain épuisé, un terrain sans bactéries dans son sol, voire un lieu où il n'y a même pas de terre. Dans ce cadre, encore une fois, il est préférable, plutôt que de tout enterrer, de tout ramener.

Les mérites de la technique du *Mélangez tout* nous viennent d'une étude presque ancienne, menée dans la chaîne de Bridger, au Montana, en 1982 (*Potential Health Hazard from Human Wastes in Wilderness*, par Kenneth L. Temple, Anne K. Camper et Robert Lucas, *Journal of soil and conservation*, novembre/décembre 1982, vol. 37, n° 6). Des matières fécales, contenant des bactéries pathogènes E. Coli et Salmonelle, furent enterrées dans des *trous de chat*. La Salmonelle prouva une solide résistance dans chaque site, même après un hiver entier. E. Coli ne survécut que dans quelques trous. Les chercheurs conclurent que la matière fécale pouvait visiblement isoler les bactéries de l'action destructrice du sol, et suggérèrent que le mélange terre/fèces pourrait accélérer la mort de celles-ci. Personne n'imaginait alors que les randonneurs en mal de grands espaces utiliseraient un jour cette technique. Et pourtant, nous y sommes. Mélangeons, mes amis, mélangeons !
L'urine du trekkeur est une tout autre histoire. La pisse s'évapore rapidement et est relativement stérile, à moins de souffrir de certaines infections de la vessie (ce dont le malade est généralement vite averti). La principale précaution est simplement d'éviter les zones où tout le monde se "concentre", là où la puanteur peut vite devenir déplaisante, et d'éviter encore les zones de graviers ou les rochers, où l'urine laisse une odeur durable. Dans certaines zones, notamment sur les plages du Grand Canyon, les gardes de ce parc national apprennent aux gens à pisser directement dans l'eau, ou au bord, sur la bande de sable humide. La pisse est lavée par les variations quotidiennes du niveau, variations régulées ici par le barrage de Glenn Canyon. Ces procédures n'ont pas uniquement été adoptées pour se débarrasser des odeurs d'urines : la concentration de pisse (contenant du nitrogène) que laisseraient les rafteurs sur le sol du Grand Canyon - dans un environnement aride et fragile - altérerait rapidement la composition des grès. Les volumes de la rivière Colorado, dépassant les 5 000 mètres cubes/seconde, garantissent encore l'innocuité de cette pratique : sur une année entière, la part de pipi qui se mélange dans

l'eau est de l'ordre d'1 contre 55 millions. Ou, comme l'a encore calculé Mark Law, un responsable de district de ce parc national, cette fameuse part équivaudrait à 28 000 canettes de bière. Quoi qu'il en soit, ne suivez cette procédure que lorsque les services des parcs ou des forêts vous le demandent expressément.

Quel que soit le type de votre pressant besoin, vous devez d'abord vous éloigner à bonne distance du lieu du campement, pas seulement au nom de votre intimité, mais surtout pour éviter de polluer un futur lieu potentiel de bivouac.

Si vous changez de camp tous les jours, profitez de cet avantage pour faire vos besoins pendant votre parcours quotidien, dans les endroits les moins fréquentés. C'est l'élimination "pendant la marche". Écartez-vous des sentiers, dont les abords immédiats sont en eux-mêmes des lieux forts utilisés. Et prévoyez bien votre manœuvre à l'avance, ou vous finirez par vous retrouver contraint à bifurquer d'urgence vers le premier petit coin sympa - celui qui aura eu, inévitablement, le même appel séducteur pour beaucoup de vos prédécesseurs. Certains coins peuvent encore tout aussi inévitablement vous mettre (vraiment) dans la merde, comme les plages juste en amont de rapides qui foncent vers l'enfer ! (Rien ne vous fait faire vos besoins plus rapidement que de penser que vous allez mourir).

Arrêtons-nous un instant sur la question du papier toilette. J'ai récemment rencontré une ex-grimpeuse qui m'a raconté l'histoire suivante. Alors qu'elle était suspendue sur sa petite plate-forme à mi-hauteur de la paroi de Half Dome, dans le Yosemite, elle ressentit une "grosse urgence". L'escalade fait partie des activités de nature parmi les moins "régulées" du monde, au point que les grimpeurs sont reconnus pour transformer la quasi-totalité de leurs besoins en diverses bombes volantes, lâchées dans le vide ! Il n'est pas extraordinaire d'entendre ainsi des histoires de grimpeurs touchés à la tête, par exemple. Mais pour cette cordée, elle avait décidé de respecter et la montagne et les autres grimpeurs : tout en restant harnachée dans son baudrier, elle descendit avec dextérité son collant, et se positionna au-dessus de son container à déchets.

Au final, elle déchira un bon mètre de papier toilette, mais par inadvertance, le laissa filer. Elle le regardait tranquillement s'envoler en serpentant dans l'air. Le papier glissa d'abord vers le bas, avant de se coller contre une anfractuosité. Pendant près d'une heure, flottant, virevoltant, plongeant dans les courants aériens, cette bande de papier fut l'attraction de tous ceux qui regardaient la paroi de Half Dome. Je n'ai pas à en rajouter ; il faut vraiment s'accrocher à son papier toilette…

En fait, si : deux autres conseils. *Ne l'enterrez pas. Ne le brûlez pas.* Brûler son papier fut la pratique courante et acceptée pendant des années, mais les positions ont changé sur cette question. Peu importe que vous soyez sûr d'avoir fait très attention, un feu de forêt accidentel est encore un feu de trop. Utilisez aussi peu de papier que possible et ramenez-le avec vous. Pour mieux faciliter cette pratique lorsque vous campez avec d'autres personnes, il est utile de bien donner toutes les instructions à chacun et de préparer un coin discret pour tout rassembler ; un sac en papier peut être posé à l'extrémité du camp, avec une serviette et du papier hygiénique.

Il va sans dire que vous devriez également remporter tous les accessoires de toilette inorganiques : tampons, pansements et lingettes. Si vous avez à laver des couches pendant un voyage, mettez le caca dans un *trou de chat* selon la technique précédemment décrite. Et transportez le récipient de lavage - utilisez du savon biodégradable - au-dessus de la ligne des hautes eaux. Pour rincer ce pot de lavage, utilisez-en un autre, afin d'éviter tout rejet dans les eaux courantes. Jetez les eaux sales dans un trou (là encore, au-dessus de la ligne des hautes eaux) et comblez-le de terre. Même si vous utilisez du savon biodégradable, ne nettoyez jamais votre récipient souillé dans un cours d'eau.

Creuser des latrines communes peut être recommandé en de très rares occasions. Je ne suis pas favorable à l'idée de généraliser la construction de latrines, et c'est pour cela que je ne l'ai pas incluse dans la première édition de cet ouvrage. Beaucoup de gens s'en sont étonné depuis. Voici donc la méthode… quitte à ne pas l'utiliser. Plutôt que de laisser se multiplier dans l'ignorance la plus totale ces véritables mines à retardement que sont les latrines, je me propose donc de tout déballer une fois pour toutes, mais sans grand enthousiasme.

D'importants dépôts de matières fécales ne se résorbent qu'extrêmement lentement. Vous ne pouvez plus foncer en groupe dans les bois avec l'idée classique du "Ben, on creusera un bon vieux gros trou". Des latrines perturbent une zone importante de végétation. Dans de nombreux endroits, désormais, les latrines ne sont plus une réponse appropriée en terme d'environnement. Vous devez plutôt penser à vous préparer à remporter tous les déchets humains générés par votre groupe (voir, vous l'aurez compris désormais, le chapitre III).

Ce ne sont que des circonstances hautement inhabituelles qui nécessitent de creuser des latrines. Une situation type me revient à l'esprit : il y a un âge, approximativement entre la grande enfance et la toute fin de l'adolescence, caractérisé par une très grande timidité et prédisposé aux plus grands embarras. D'habitude, les groupes de ce niveau de maturité restent, pour faire leurs besoins, très près des sentiers ou des camps. Si vous vous retrouvez responsable de ce genre de groupes, et si vous n'êtes pas certain que les *trous de chat* normalement préconisés seront creusés correctement, alors des latrines peuvent être mises en œuvre. Lorsque vous donnez des instructions à ce sujet, gardez à l'esprit que l'embarras et la timidité sont d'abord des phénomènes culturels… qui ne changeront pas tant que les adultes ne sont pas clairs et directs dans leur propre approche du sujet.

Pensez à des latrines comme à un *trou de chat* "pour plusieurs personnes", plutôt que comme une tranchée de la taille d'un cercueil. Elles doivent être facilement accessibles, un peu plus près du camp que la distance requise pour les *trous de chat*, et avec un système d'écran pour en préserver l'intimité. Pour le reste, faites comme pour les *trous de chat*. Choisissez un endroit à bonne distance de tout cours d'eau et bien au-dessus des lignes des hautes eaux. Restez éloigné des zones détrempées, des sources, des pâturages, des marais de toutes sortes, et à plus de 50 mètres des lacs. Évitez les zones d'oueds souvent sèches, mais qui peuvent charrier les eaux des orages ou des pluies. En d'autres termes, à nouveau : recherchez les hauteurs.

Comment chier dans les bois

Arrêtez-vous une minute, étudiez le terrain, et visualisez d'où les eaux peuvent descendre. Même dans les déserts, les indices existent. Des rochers polis en sont un (mauvais) : c'est sans doute l'eau qui les a travaillés.

Ne creusez des latrines que dans des sols possédant un excellent humus. Les gros dépôts rassemblent une plus forte concentration de germes dans un seul lieu, et pour une durée d'élimination bien plus longue. Excavez une tranchée peu profonde (entre 20 et 25 centimètres), assez étroite (entre 25 et 30 centimètres) afin que les gens puissent l'enjamber en s'installant dessus. Il faut prendre en compte, pour déterminer la longueur des latrines, la taille du groupe et la durée du camp. Vous avez sous-estimé l'ensemble ? Vous pourrez toujours creuser quelques décimètres de plus ! Tassez la terre de côté, le long de la tranchée. Expliquez aux gens de commencer par un bout de la tranchée. Après chaque dépôt, couvrez de terre, mélangez énergiquement. Couvrez encore de terre. Tassez. Un bâton mélangeur commun peut être laissé planté dans la partie non-utilisée de la tranchée. Vous connaissez l'expression : "On m'a passé un bâton merdeux" ? C'est de ce bâton-là dont on parle. Dans des temps pas si reculés que ça, ce bâton avait un chiffon à son extrémité, et il servait à nettoyer les pots de chambre. Enfin, pour refuser toute solution de facilité aux utilisateurs, laissez un sac en papier pour jeter le papier toilette : il sera ramené plus tard, ou brûlé dans les feux du camp.

Au fond, question "sanitaires", nous avons tous à prendre des décisions sur nos méthodes. La procédure que nous choisirons dépend de la taille de notre groupe, de la maturité et de l'agilité de ses membres, du type de terrain, de la saison et du climat, de l'éloignement de l'endroit, du volume de visiteurs, et ainsi de suite. Plus ce sera facile pour nous, plus ce sera difficile pour la Terre Nourricière. Pour ceux d'entre nous qui ont grandi sur le "petit coin privé" des toilettes, si cher à nos civilisations occidentales, cela va nécessiter une grosse dose de volonté lorsque certains besoins se feront sentir… sur le sentier. Mais haut les cœurs ! Nous allons tous apprendre ensemble – sur une chose que nous faisons tous.

L'eau de mer raconte de toutes autres histoires que l'eau douce.

Il est habituel, lorsque l'on pratique le kayak de mer, de se soulager dans une boîte, de jeter le contenu par-dessus bord, puis de rincer la boîte et de continuer à pagayer. Ou, si elle est bonne, vous pouvez vous-même vous jeter à l'eau - bien entendu si vous êtes autonome en terme de sécurité, et si vous savez remonter tout seul à bord. Dans des sites très sensibles, des groupes organisant ces randos de mer préconisent des bidons à bord, même pour les grosses commissions, en attendant de trouver un lieu au sec et équipé pour recevoir les déchets.

D'un premier abord, l'idée de déposer ses excréments directement dans l'eau est en contradiction totale avec chaque fibre écologique de mon être. Un souvenir d'une expérience aquatique au Mexique renforce cette résistance. Quelqu'un m'avait offert un billet charter pour Acapulco, et je n'étais arrivée sur les magnifiques plages tropicales que pour apprendre qu'il ne valait mieux pas aller nager dans les eaux polluées de la baie - trop de rejets d'égouts, semblait-il. Lorsque la chaleur devint par trop oppressante, j'allais nager un peu dans la piscine hyperchlorée de l'hôtel - autant prendre un bain de javel à la maison. Comme vous pouvez le comprendre, c'est avec beaucoup de réticences que j'avance ces procédures du *faire caca/se débarrasser de ce caca* pour les kayakistes de mer. Ceci dit, on m'a bien informée qu'effectivement, l'océan était largement capable de dissoudre quelques étrons par ci par là…

Un kayak, après tout, n'est rien qu'un minuscule yacht individuel, petit comme ça. Si vous considérez le nombre total de kayakistes cabotant près des rivages, effectivement, le fait de se délester du contenu de sa boîte par-dessus bord est une pratique assez honnête. Promis, je ne vais pas me faire trop de soucis pour ça. Je vais essayer de ne plus penser qu'aux navires de la taille du Queen Mary lorsqu'ils vidangent leur soutes-toilettes, qu'aux grandes villes côtières du monde entier qui rejettent leurs égouts à la mer, qu'aux marées noires, qu'aux barils de déchets toxiques, qu'aux sacs plastiques dans les intestins des mammifères marins trouvés morts sur les rivages, et qu'au prix des escalopes… Et ainsi de suite. Il y a (effectivement) bien d'autres soucis.

Comment chier dans les bois

Mais… Je n'imagine pas que quelqu'un puisse utiliser la première de ces techniques (utiliser une boîte) au milieu d'une plage surpeuplée. D'autant plus que chier dans un kayak en mer est un exercice aussi délicat en terme d'équilibre et de précision que l'art du jumping équestre (niveau olympique), sans même parler de ce qu'il faut réaliser si l'on porte une combinaison en néoprène. Quelle que soit l'issue de tout ça - que vous utilisiez une boîte ou que vous sautiez à l'eau -, il est important de le faire à l'écart des petites baies fermées, des ports, et de n'importe quelle plage où votre caca pourrait atteindre le rivage avant de se dissoudre. Les lois fédérales américaines interdisent à tout navire de procéder au largage de leurs diverses poubelles à moins de 5 kilomètres des côtes. Il y a aussi des navigateurs qui soutiennent que l'immersion de merdes près d'îles habitées est sans aucun impact lorsqu'elle est réalisée en eaux libres, sur des fonds de 4 mètres ou plus. Pour le kayakiste normal (moi) pagayant dans son petit youyou, il est difficile de certifier de la profondeur sous ses fesses. D'autant plus qu'en ce cas, une connaissance des marées est nécessaire : au lieu de s'éloigner, le contenu de votre "merde à la mer" pourrait bien revenir droit sur votre plage favorite…

Les kayakistes de mer pagayent désormais en nombre sans cesse croissant, généralement près de sites préservés, ou en traversant des estuaires où la nature sauvage est la plus riche. Ceci n'est qu'une recommandation de l'auteur, mais sur notre planète déjà surchargée d'excréments, aucune matière fécale ne devrait effectivement être jetée à l'eau dans la zone des 5 kilomètres, que ce soit près d'une terre, ou au large de l'île la plus éloignée d'un groupe d'îles. Là encore, la technique du *Remportez tout* me semble être préférable pour un traitement correct de ces déchets : il n'existe aucune loi interdisant aux kayakistes de donner l'exemple aux multiples Queen Mary qui se baladent autour du monde. Il arrivera bien un moment - si ce n'est déjà fait - où l'océan lui-même pourrait dire : "Ça suffit !".

Souvenez-vous : quelle que soit la technique adoptée, elles demandent chacune à être expérimentées - des essais à sec, dirions-nous - sur des eaux calmes et familières. En fait, vous possédez un équipier (vraiment) très valable lorsqu'il est capable de stabiliser votre embarcation tout en sachant élégamment ne pas vous observer. Si vous projetez des sorties avec des biplaces, - à moins que vous ne soyez un tantinet exhibitionniste -, choisissez vraiment la place de derrière. Comme pour n'importe quelle autre technique - monter une tente, par exemple - faites des tests de tout cela avec votre partenaire avant de vous jeter à la mer, histoire de ne pas trop jouer à Pince-Mi et Pince-Moi sont dans un bateau.

Chapitre III

Quand vous ne pouvez pas creuser le trou

Dans les jours anciens
Quand les chevaliers étaient sans peurs
Et que les toilettes n'étaient pas encore nées,
Ils se délestaient de leurs paquets
Au bord des chemins
Et s'en allaient ainsi, soulagés.
Chanson enfantine, auteur inconnu

Dans sa grande quête de l'inconnu, un explorateur peut découvrir des univers totalement neufs, voire même certaines dimensions vraiment rares de par le monde, notamment en matière de petits coins et autres toilettes. Parfois, il n'y a même pas la place de creuser son trou ! La plupart d'entre nous n'ont jamais eu à prier pour éviter d'aller faire une grosse commission par moins 40 en-dessous de zéro, ou encore suspendu à un piton, dans le vide, au beau milieu d'une paroi verticale. Selon toute probabilité, quand l'envie nous prend, nous sommes plutôt en train de tricoter à la maison, ou occupés à sortir le chien. Évidemment, toute personne rejoignant le pôle nord à pied ou tentant d'escalader l'Everest s'expose par là même à quantité de moments peu plaisants. Ces espèces rares, férues d'espaces naturels, ne prêtent aucune attention aux petits soucis quotidiens. Et toute la fierté qu'elles mettent à l'œuvre dans leurs quêtes ne découle pas uniquement d'une aptitude particulière à surmonter ces basses exigences. Nos besoins du matin, lorsqu'ils s'effectuent à portée de chasse d'eau, restent ainsi une tache ordinaire, et même plaisante, lorsqu'elle est réalisée chez soi. Mais en terrain hostile, cette simple routine peut se transformer en une immense calamité, ou encore en une redoutable gymnastique. Prenez par exemple la mésaventure que Chris Bonnington a endurée à près de 8 000 mètres d'altitude, dans son livre sur l'Everest *The Ultimate Challenge* (New York, Stein & Day, 1963) :

> "Désormais, nous portons ces combinaisons intérieures une pièce. Ce n'est pas trop dur, en fait, de se soulager lorsque l'on en porte une. Mais lorsque vous portez la sous-combinaison et la combinaison extérieure, c'est totalement désespérant d'essayer d'aligner les deux ouvertures… Après ça, sans même réfléchir, je me relevais et renfilais ma combinaison extérieure… Je n'avais pas compris que quelque chose clochait - jusqu'à ce que j'enfile ma main dans la manche ! J'essayais de l'enlever - de la nettoyer - mais à cette heure, le soleil avait disparu, il faisait vraiment froid et elle avait gelé, prenant une consistance proche du béton."

Écoutez encore l'histoire de cette pauvre femme, qui avait elle aussi acheté une combinaison traîtresse. Une de mes amies passablement dérangée (dérangée est pour moi synonyme de solide lorsque l'on parle d'explorateurs) campait à Trois Sœurs, dans l'Oregon, pendant une tempête de blizzard, lorsqu'une impérieuse contraction du périnée lui signifia qu'il était grand temps de ramper à l'extérieur de la tente pour aller chier.

Comment chier dans les bois

Elle rampa donc dans le grand blanc, avec la neige soufflée à l'horizontale par un vent furieux. Cinq couches de vêtements devaient être baissées de son derrière rose, avant qu'elle puisse s'agenouiller. Insouciante du vent, en relevant ses divers collants et pantalons, elle s'aperçut que chaque couche avait engrangé son petit paquet de neige. Quand elle eut fini de tout remettre, alors, et alors seulement, la neige commença à fondre. Les amateurs d'hivernales appellent cela "la trempette". Interrogée sur les conseils qu'elle donnerait à d'autres, pour ce genre de situation, sa seule réponse fut : "Retenez-vous !".

Deux solutions ancestrales, associées aux indéniables problèmes du campement hivernal, s'offrent pourtant d'elles-mêmes. Les pantalons ouvrables fournissent parfois quelques bons arguments face au mauvais temps ! À la mode des vieux bleus de travail des ouvriers, avec leurs pans arrière boutonnés, bien des modèles de pantalons "ouvrables" existent désormais chez les équipementiers de haute montagne.

Les autres conseils salvateurs pour les températures en dessous de zéro ? Faites comme grand-maman, lorsqu'il faisait vraiment trop frisquet pour marcher pieds nus dans la neige, en petite tenue de flanelle, jusqu'au fond du jardin. Bon sang, mais c'est bien sûr ! Utilisez le bon vieux pot de chambre en porcelaine - le pot à tonnerre, comme on l'appelait parfois à l'époque. Moins élégant, des bols peuvent être utilisés. Un ami, chef d'expédition, fut une fois bloqué dans un embouteillage au quatrième niveau d'un échangeur d'autoroute. Par chance, ce n'était qu'une urgence de niveau un. Il remplit ainsi quatre fois sa bouteille thermos, la vidant négligemment par la fenêtre ouverte de la voiture. Sinon, j'ai appris d'une source féminine fiable, que les boîtes Tupperware pour conserver le pain ont été mises (avec succès) au même niveau de contribution lors d'une longue épreuve de cross-country courue dans des paysages désertiques.

Au moment même où je tape ce chapitre sur un ordinateur nec plus ultra, des centaines de barils d'excréments et d'urine gelés attendent près de la station de Mac Murdo - Antarctique - de retrouver une maison. La situation générale des ordures à Mac Murdo, la principale base scientifique américaine du pôle sud, est, d'après le *San Francisco Examiner*, une "histoire indescriptible", une montagne "hideuse à voir". Au moment où vous lirez ces lignes, qui sait, certains de ces barils pourraient bien macérer dans votre propre ville…

Si la nature sauvage veut survivre à l'assaut d'usages, de mauvais traitements ou d'excès que nous lui ferons subir dans les prochaines années, nous devons trouver un meilleur moyen de résorber nos déchets humains. Explorateurs ou simples voyageurs à pied, notre nombre ne cesse d'augmenter de par le monde. Dans bien des cas, nous ne sommes pas loin du tout des même soucis sanitaires d'un T.-J. Crapper au dix-neuvième siècle ! Peu importe l'amélioration du niveau général des comportements en matière de papiers sales ou de déchets d'emballages sur les sentiers (et dans beaucoup d'endroits, ce problème persiste) si chaque vague successive, en plus de ses traces de pas, ajoute encore sa strate de merdes. Vous pouvez mettre un grand nombre de pommes dans un tonneau. Mais à partir d'un moment, le tonneau est bel et bien plein.

Le sentiment émergeant, dans la communauté des marcheurs aux États-Unis, est que nous ne pouvons plus nous permettre - tels ces chevaliers du Moyen Âge - de laisser nos petits paquets sur le bord du chemin. Un exemple, vraiment très sensible pour les premiers randonneurs du printemps, est celui des déchets laissés par les derniers visiteurs de la saison précédente. Après la fonte des neiges, des petits morceaux de merde gelée laissés par les skieurs de randonnée traînent sur le terrain. Lorsque la température augmente, ils fondent et s'écoulent dans le paysage. Pour les premiers randonneurs, qui recherchent quelques jours de répit bien mérités dans des paysages protégés, c'est une vision d'horreur. Ils auraient presque eu meilleur temps de rester à la maison, et de consulter les heures de visite de la station d'épuration du coin.

Il est indiscutable que le manque d'attention porté à nos déchets est une véritable agression du point de vue esthétique, voire une menace pour notre santé. D'autre part, laisser derrière soi un dépôt, même le mieux enterré du monde, peut causer des dommages écologiques irréparables. Les petites îles, par exemple, possèdent des écosystèmes extrêmement fragiles.

Ces zones n'ont aucun système adjacent pour s'équilibrer. Au large des côtes du Maine, il existe ainsi quelques trois mille îles, dont la plupart ne dépassent pas quatre kilomètres carrés. Les interdépendances de la vie sur une terre de quatre kilomètres carrés - là où nous ne voyons que quelques arbres et un peu de prairies - se sont mises en place sur une période de plusieurs millions d'années. Désormais, les visiteurs sont là. Et plus seulement le pêcheur occasionnel ou le couple d'amoureux en pique-nique, mais des groupes de kayakistes qui y campent la nuit par douzaine, ou des charters de vieux gréements, lâchant souvent sur les berges une trentaine de personnes à la fois, le temps d'une pause casse-croûte. Trop de trous, trop de terre remuée, et ce sont les herbages qui disparaissent, livrant le sol à la merci des vents et des précipitations. Il vaut mieux s'en soucier calmement aujourd'hui plutôt que d'être confronté demain avec un nouveau chapitre dans la longue liste des plaidoyers larmoyants - et toujours trop tardifs - à laquelle nous avons déjà à faire face.

Les écosystèmes de la faune et de la flore des grottes sont un autre exemple d'équilibre en milieu isolé. Les grottes abritent de toutes petites créatures, aussi délicieusement bizarres que vulnérables, que l'on ne trouve nulle part ailleurs sur la planète. Pour les spéléos, en plus des questions de protection des interdépendances entre espèces, existe un problème récurrent de (mauvaises) odeurs. Les vrais amoureux de la spéléo recherchent désormais au moins autant l'enlèvement systématique de tous déchets laissés… que la découverte d'un réseau inexploré.
Remportez tout (*Packing-it-out*, dans le texte, ndt). Cette technique qui consiste à ramasser et transporter les matières fécales - et parfois même sa pisse - hors des territoires sauvages est progressivement en train de devenir la principale alternative à l'enterrement "simple". Cal Adventures, le programme outdoor de l'université de Berkeley en Californie, a commencé en 1988, sous la direction de Rick Spittler, à expérimenter des systèmes de containérisations des excréments lors de leur sortie de ski de randonnée. Quoique d'approche rudimentaire (des cartons de lait et du scotch étanche), leur nouvelle technique fut un succès. Aujourd'hui, que ce soit sur les côtes est ou

ouest, les kayakistes américains inventent des solutions pour ramener leurs déchets chez eux. Le Service des forêts américain charge ses mulets de toilettes portables, mulets qui accompagnent des groupes sur les chemins en montagne. Les grandes écoles d'outdoor comme la Colorado Outward Bound et la National Outdoor Leadership School, enseignent cette technique du *Remportez tout* pour les environnements fragiles et les endroits très fréquentés. Même les grimpeurs, (lassés de leurs gros grêlons ?) modifient leur manière de faire. Nous reviendrons bientôt sur la condition si particulière du ramasseur de merde individuel - pour nous concentrer sur la fin de ce chapitre sur les groupes et les systèmes de toilettes portables.

Depuis plusieurs années, bien des groupes d'amoureux de la nature cherchent des solutions pour transporter les déchets humains loin des zones sauvages, et parmi eux, les rafteurs de la rivière Whitewater ont longtemps fait figure de précurseurs. Les rivières posent effectivement un problème particulier, puisque les aires de bivouac sont naturellement confinées à quelques rares plages, coincées entre des gorges étroites et profondes. Il y a près d'un quart de siècle, lorsque la descente de rivière a commencé à devenir de plus en plus populaire, l'augmentation de la fréquentation fut suivie de fait par une affolante concentration de matières fécales ; la nécessité du *Remportez tout* devint vraiment évidente lorsqu'il s'avéra qu'il était devenu quasi impossible de creuser son trou... sans tomber sur le "cadeau" d'un prédécesseur.

Le Bureau délivrant les permis sur la descente du Grand Canyon, sortit, peu après, un texte réglementaire de deux pages, à destination des guides, concernant la procédure du *Remportez tout*. Le potentiel total de dépôts sur les rives du Canyon est l'ordre de 200 000 par an, soit encore grossièrement 50 000 tonnes de merde. Imaginez, juste pour bien comprendre, ce que signifie trouver 200 000 restes de spaghettis et de boulettes de viande enterrées près des plages. Vu sous cet angle, les réglementations des services du parc national deviennent vraiment tout à fait compréhensibles. Depuis 1979, tous les déchets humains solides sur les parcours de la rivière du Grand Canyon ont été containérisés et évacués dans des systèmes étanches. Aucune sortie n'est autorisée sur le parcours sans ces bidons de transport en état et en nombre suffisant, sans oublier une information complète et votre engagement écrit à tout ramener.

Le même scénario est désormais en place sur d'autres rivières très fréquentées. La technique du *Remportez tout* a été adoptée en 1983 sur Main Salmon, dans l'Idaho (la fameuse rivière sans retour de Lewis et Clark), et à cette époque, Bob Abbott, aujourd'hui *ranger* de district dans la forêt nationale de Nez percé, n'était rien moins que sceptique face à la nécessaire coopération du public. En tant que *ranger* de la seconde génération, née sur son "territoire", Abbott avait déjà passé l'essentiel de sa vie à observer le comportement de l'*Homo sapiens* dans la nature. Les "petites boîtes pour touristes", comme l'on appelait alors ces poubelles d'avant le triomphe des systèmes plus efficaces, ne pouvaient raisonnablement servir qu'à ramener de tous petits volumes de déchets. La réaction d'Abbott à l'idée de demander aux visiteurs de ramener leurs excréments était claire : "Vous rigolez ! Nous aurons de la merde encore et toujours, du petit-déjeuner au dîner !" Aujourd'hui, il fait partie des convertis, et il commente, non sans une certaine fierté, ce fait avéré : "Vous pouvez passer sur une plage qui accueille 3 000 personnes en l'espace de quelque mois sans voir la moindre trace attestant que des humains étaient là".

Plus le nombre des secteurs de pleine nature saturés va augmenter, avec des fréquentations équivalentes aux rivières des canyons, plus la technique du *Remportez tout* sera nécessaire. Et s'il était besoin d'insister, il est très clair désormais qu'au niveau des comtés, des états et du gouvernement, les textes réglementent les rejets des déchets humains individuels sont en place. Par exemple, dans le comté de King (État de Washington), une ordonnance sur les zones sensibles d'une centaine de pages traite exclusivement des questions sanitaires sur des aires de préservations réglementées, de 10 à 40 mètres, pour trois classifications différentes de marais. Ces ordonnances ne contiennent pas d'indications sur les dépôts laissés par les campeurs individuels, mais les kayakistes locaux, sensibles à ces lieux, utilisent la technique des *trous de chat*, plaisantant à l'occasion sur leurs connaissances en matière de "flore des marais". Mais rien n'est facile, selon Ken Carrasco, éducateur nature dans ce comté : "De toutes les zones naturelles sensibles, les marais font partie des plus difficiles à classifier et à délimiter". La flore des marais n'est pas constituée uniquement de landes et de prairies : des cèdres rouges de l'ouest, des cotonniers noirs, des sitkas sont fréquemment représentés dans les forêts des marais.

Quelques sept jours d'inondation seulement suffisent, lors de la saison des pousses (entre mars et novembre dans la région de Seattle), à assurer la survie de ces espèces. La superficie des îles de ces marais peut varier de manière considérable, certaines n'occupant pas plus d'espace qu'une chambre à coucher.

Des exemples d'encadrement au niveau de l'État existent au ministère de l'Écologie à Washington (DOE). Philip KauzLoric, coordinateur "déchets quotidiens" du Programme pour la Qualité de l'Eau explique ainsi que "les agences pour la qualité de l'eau, réparties sur le territoire depuis plus de 20 ans, se focalisent aujourd'hui, après avoir énormément travaillé sur l'installation de centrales d'épuration, sur des sources de pollution "non permanentes", incluant par exemple les pollutions par ruissellement". À plus grande échelle, les activités laitières et d'élevage ont de plus en plus besoin d'être encadrées par les standards de contrôle. Ces standards sont émis par les agences d'État et fédérales, et concernent les problèmes de pollution d'eau qui affectent les espaces publics, ceux que l'on utilise pour nager, pêcher, ramasser des coquillages ainsi que pour subvenir à certains besoins en eau potable. C'est effectivement tout un programme, disons-le, que d'empêcher une vache de poser sa bouse ailleurs que sur le bord de la rivière ! Il existe pourtant des équipes au ministère chargées de la répression des pollutions agricoles. Boulot délicat s'il en est, puisque les équipes demandent aux fermiers, historiquement seuls responsables de l'usage de leurs ressources en eau, de développer désormais des plans de management de ces mêmes réserves d'eau pour le cheptel. La rotation sur pâturages, ainsi que l'utilisation des clôtures autour des champs (une version nouvelle d'un véritable drame culturel de l'ouest américain) sont souvent parties de ces plans.

Au niveau fédéral, une toute nouvelle cellule est dédiée à la Gestion des déchets humains sur les territoires fédéraux. Composée de six agences gouvernementales, elle est dirigée par LuVerne Grussing, du Bureau d'aménagement du territoire de l'Idaho. Cette équipe a mis en place un programme pilote qui est d'une certaine façon une réponse aux nouvelles règles établies par une autre agence gouvernementale. En octobre 1993, l'Agence de protection de l'environnement (EPA) a interdit le dépôt de matière fécale humaine dans les champs. Même si cette loi ne visait pas directement les amoureux de la nature, elle nous atteignit fortement. Pour un représentant de l'EPA avec qui j'ai parlé, "ces déchets doivent effectivement aller là où ils peuvent être correctement traités, que ce soit dans des centrales d'épuration, des toilettes ou des fosses septiques".

Pendant des années, le meilleur et le plus classique des systèmes de toilettes portables utilisées par les coureurs de rivières fut la bonne vieille caisse de munitions de la Seconde Guerre mondiale, encore appelée boîte à fusée. Sur le terrain, la caisse était couverte d'un sac poubelle, avec un siège de w.-c. dessus. C'était le modèle presto de la tinette nature ! (Pour les voyages "légers", le siège de toilette était souvent oublié, ce qui lui valut le surnom de "tranchée", en hommage aux taches diverses laissées par et sur les utilisateurs inexpérimentés…)

En recyclant ces caisses bon marché (une centaine de francs), ses utilisateurs ont littéralement extrait de la grande nature des millions de tonnes de déchets humains. Mais sans pour autant résoudre tous les problèmes "à la sortie". Invariablement, à la fin de l'aventure, il manquait les aménagements nécessaires pour recevoir cette véritable masse de merde en sacs. Les sacs plastiques ne se dégradent pas, et ils sont incompatibles avec les équipements des fosses septiques et des usines d'épuration. Ils rendent particulièrement pénible le travail des équipes de nettoyage (joliment surnommées les "camions à miel") qui vident les fosses-réservoirs des sanitaires installées sur les sentiers.

Après avoir tant pris soin de ces cargaisons - les charriant des camps, les transportant sur la rivière, les supportant sur les plages et les chargeant encore dans leurs voitures - les rafteurs anesthésiés ne rêvaient plus chaque nuit que de larguer ces sacs dans des puits béants. Au mieux, ces sacs étaient conduits à des kilomètres de là, dans des usines d'épuration, les sacs souillés étant récupérés à nouveau, avant d'être jetés finalement aux poubelles. Au pire, et pas si rarement que ça, montait la triste complainte des guides qui se croyaient condamnés à ne plus conduire que des voitures pleines de ces sacs infâmes pour l'éternité. Bien des paysages sous la lune, bien des poubelles ménagères et bien des petits coins sur des routes solitaires ont ainsi reçu leur quota de "Pose-le là et tirons-nous !". Il est abominable de constater ce qui peut arriver lorsque certains des plus ardents défenseurs de l'environnement finissent par être coincés en bout de chaîne, sans autre solution que celle-là.

Et c'est de l'EPA que le salut est arrivé. Avec ces réglementations récentes, cette agence a finalement comblé une partie de ce grand vide qui existait près des parkings et au bout des pistes. Elles nous ont forcés à passer à un autre stade que le sac en plastique : même s'il était toujours possible de le vider de ses matières fécales dans les réservoirs désormais installés sur les points de rendez-vous au départ des pistes, vous aviez encore à vous occuper du fameux sac. Et lorsqu'il est interdit de le jeter dans la nature, que faites-vous ? Tout le monde n'a pas l'estomac requis pour le nettoyer…

Comme on pouvait s'y attendre lorsque la créativité sans limite de l'aventure est au rendez-vous, de nombreux inventeurs se sont manifestés, s'agitant tous pour produire un container lavable et réutilisable qui soit aussi "amical" que possible - évitant notamment de trop longues apnées volontaires lors de son utilisation. Jeff Kellogg, de la société Clavey Equipment, me disait que des nouveaux modèles sortent à peu près chaque semaine. Mais avant d'examiner ces toilettes portables d'un type nouveau, une autre invention mérite notre attention.

C'est la gigantesque **Scat Machine** (de la société Frenchglen Blacksmiths, Highway 205, FrenchGlen, OR 97736, tél. : 503-495-2315), qui ressemble à un hybride de machine à laver industrielle ayant avalé un système d'égout, et qui est destinée au traitement des containers à caca… après la balade. Ses inventeurs, John et Cindy Witzel disent que cette machine peut recevoir et traiter presque n'importe quel type de toilettes portables : les containers doivent seulement posséder une ouverture minimale d'au moins 20 centimètres, pour une hauteur minimum recommandée de 40 centimètres (les containers jusqu'à 45 centimètres marchent encore, mais tout ce qui est plus petit ne peut fonctionner correctement). La Scat Machine avale proprement des bidons fixes de 5 litres ou tout type de boîtes lorsqu'elles sont fixées aux sangles internes. Lorsqu'on la referme, le réservoir fait un huitième de tour, et son contenu se vide dans le système. Mettez quelques pièces, ou un jeton, et l'appareil non seulement lave et désinfecte votre réservoir, mais l'extrait et vous le rend "en mains propres". Son installation nécessite un égout existant, une fosse septique ou une connexion de tuyauterie, une alimentation électrique de 220 volts, et une alimentation en eau d'une capacité de 220 litres par utilisation. Une Scat Machine coûte 15 800 $, livrée et installée dans un rayon de 500 kilomètres de son usine… Pour mémoire, trois Scat ont été achetées par des agences fédérales (Board of Land Management, U. S. Forest Services et National Park Service) et sont utilisées principalement par des rafteurs à Meadview (Arizona), Asotin (Washington) et Riggins (Idaho). Deux autres machines sont au travail à Diamond Creek (Arizona) et Salmon (Idaho).

Il existe quand même une alternative (au cas où vous vous poseriez la question) à tous ces transbordements de caca. Même si je ne la préconise pas personnellement, je la présente ici. Libre à vous de choisir…
Cette technique m'est parvenue via l'un des nombreux courriers que j'ai reçus (un correspondant que j'ai légitimement surnommé l'homme-lavement depuis).
Dans un court texte tapé à la machine, il m'a gracieusement exposé qu'il s'infligeait, la nuit avant de foncer pour ses week-ends de pêche, un lavage d'estomac. Ceci lui permettait d'évoluer sans problème, insouciant des subtilités du *Comment chier dans les bois*, et avec une totale concentration sur son sport favori… en évitant simultanément - il me l'écrivit en toute sincérité - "de polluer les cours d'eaux et leurs environs". Si ça vous parle, vous n'avez pas besoin d'aller plus loin dans ce livre. Vous pouvez le passer tout de suite à votre voisin !

Le reste d'entre nous (même si nous manquons de peu la réponse radicale à une infinité de problèmes) va, quoi qu'il en soit, passer à la revue de détail des réservoirs et autres toilettes portables.

Je me permets de donner cette liste des fabricants, car ils sont pour la plupart de petits ateliers, ne vendant que par correspondance. Même si j'ai ajouté quelques commentaires sur chaque modèle, il ne s'agit pas là d'une évaluation complète. Les évolutions sur les modèles sont fréquentes, et pour être franche, je ne me suis pas penchée sur tous. Mais le simple fait de les laisser tomber à terre révèle une caractéristique majeure : comment ils basculent vraiment. Et croyez-moi, c'est important ! Si un jour, un truc mal foutu, contenant les déchets de 40 personnes, vous jette à terre en essayant de vous noyer sous son contenu, il y a de fortes chances pour que vous ne juriez plus (et à vie) que par votre canapé devant la télé…

Il y a pas mal de critères à prendre en compte lorsque vous allez choisir vos toilettes portables. Vous n'aurez jamais tout avec le produit le moins cher. En général, vous en aurez bien sûr pour votre argent avec les modèles les plus chers, mais en ce domaine, rien n'est parfait, me semble-t-il.

Par-dessus tout, il existe quatre critères importants à considérer : votre santé, la stabilité du container, "le facteur de dégoût" et le prix. En commençant par les systèmes les plus simples, les prix actuels vont de 15 $ à 540 $. L'une des conditions pour l'obtention du permis pour les descentes de rivières dans le Grand Canyon stipule que votre système d'évacuation des déchets doit être "valable", pour la simple raison que certains modèles inefficaces sont parfois tout simplement abandonnés, planqués derrière un cactus perdu. Le Bureau des permis édite sa propre liste de "modèles approuvés", qui évolue constamment avec l'apparition de nouveaux produits sur le marché. Pour en obtenir une copie, écrivez à l'U.S. Department of Interior, National Park Service, Grand Canyon National Park, P.O. Box 129, Grand Canyon, Arizona 86023-0129.

Les guides de rivières que je connais portent désormais des gants en latex lorsqu'ils s'occupent de la corvée des toilettes. Une sage précaution, qui porte aussi son lot ironique de paradoxe. Si fiers que nous soyons d'avoir diminué notre consom-

Comment chier dans les bois

mation de sacs en plastique, il semble que nous préparions le prochain drame de cette histoire sur une montagne de gants en plastique. Mais l'hygiène est vraiment la priorité numéro un des équipes. La manutention des déchets humains n'est pas une histoire à prendre à la légère, et tout risque potentiel d'une exposition directe aux matières fécales, lors des phases de nettoyage ou de vidange des bidons, doit être prise très au sérieux.

Certains bidons, lorsque vous les ouvrirez, vont vous roter à la figure : les gaz de méthane sont l'un des composants naturels issus de la décomposition anaérobie des fèces. Soyez avertis : un réservoir, fermé hermétiquement, qu'il soit partiellement ou totalement plein, peut très bien "exploser". Un feu d'artifice de ce calibre possède un potentiel de destruction psychologique qui peut vous toucher à vie. À défaut d'"explosion", les réservoirs peuvent encore émettre des bulles, couler, et même émettre des odeurs encore inconnues sur notre planète. Les modèles équipés de valves automatiques régulant la pression dans le bidon possèdent un atout déterminant pour les longs parcours, ou les sorties par grandes chaleurs. Si vous êtes courageux, les modèles sans valves sont généralement moins chers, et vous pouvez ouvrir le bouchon de temps à autre, en pensant bien à conditionner votre équipement pour qu'il reste facilement accessible. Sachez encore que pisser dans le réservoir favorise la production de méthane… et que ne pas pisser dans le réservoir peut le rendre très difficile à vider à la fin de la sortie. Il existe ainsi deux écoles sur la consistance du contenu : sec ou humide. Le groupe prohumide considère qu'il est nécessaire de distiller une sorte de bouillie qui, le temps venu, sera facile à écouler.

C'est ainsi que parfois l'on demande à certaines femmes de pisser dans le pot lors du voyage, alors qu'à d'autres moments, les membres du groupe reçoivent l'ordre d'aller pisser ailleurs. Le guide maintient et gère ainsi discrètement un certain niveau de mélange idéal. Les prosec, finement avertis du fait que tout liquide n'est qu'un poids supplémentaire, optent uniquement pour la collecte des déchets solides, n'ajoutant de l'eau qu'à la fin du voyage, ou parfois même pas, notamment lorsque le container est en fibres de papier.

L'élément suivant est la forme du bidon : rond, carré, oblong. Pensez à votre charge (c'est-à-dire comment vous allez faire votre sac). Un rond, s'il n'est pas totalement rigide, peut éventuellement occuper l'espace d'un carré lorsqu'il est comprimé par une forte charge. Les modèles évasés, dont le diamètre de la base est inférieur à celui du sommet, risquent fort d'être moins stables en assise que ceux aux formes plus proches du carré.

Une grande attention doit encore être apportée à la solidité générale des matériaux et de tous les systèmes de joints et d'ouverture. Si un raft chavire dans un rapide majeur, le réservoir ne doit en aucun cas s'ouvrir sous le choc d'un rocher, pas plus que sa fermeture ne doit fuir pendant le sauvetage. Les bouchons d'ouverture doivent ainsi passer ce que j'appelle le Test de Donny Dove, ou DDT. Ce DDT-là possède une toute nouvelle signification. Dove est l'expert Canyon chez REO (River Equipment Outfitters). En homme de l'art, il transporte à peu près partout 5 litres d'eau, les vidant dans un tout nouveau système venu, avant de le retourner ensuite dans tous les sens. Dove ne jure que par cet axiome simple et profond : si les bidons fuient avec de l'eau, ils fuiront aussi avec de la merde ! Aux dernières nouvelles, tous les systèmes ne passent pas ce test avec succès. Une chose encore doit être dite à propos des matériaux : le plastique retient les odeurs. L'acier inoxydable et l'aluminium sont généralement bien plus faciles à nettoyer et ils ne risquent pas de craqueler ou de sécher après de longues expositions au soleil.

Vous devez enfin penser à la fin de votre rando, et à la tâche à effectuer pour vider votre réservoir. La compatibilité avec les quelques Scat Machines est une bonne chose lorsque vous projetez de randonner suffisamment près des rares exemplaires qui existent sur la planète, mais c'est surtout la compatibilité avec les systèmes équipant les points de rendez-vous sur les grands sentiers aux États-Unis qui restent le must. Ces derniers sont prévus pour brancher un tuyau, et pouvoir nettoyer ainsi l'intérieur du réservoir. Certains réservoirs ne sont pas équipés de bouchons exactement ajustés pour ces tuyaux. Dans ce cas, le lavage est réalisé dans l'orifice même des toilettes, ce qui peut générer quelques éclaboussures vraiment intempestives.

On peut y remédier partiellement en façonnant dans un gros bouchon en matière plastique une ouverture au bon diamètre pour y emboîter le tuyau d'arrosage.

J'ai appris aussi que les entreprises d'assainissement spécialisées dans les fosses septiques sont des interlocuteurs hautement recommandés pour ces questions de nettoyage. Forte de cette information, je me suis mise à en rechercher dans la zone rurale où j'habite. Je n'en ai pas trouvé. J'étais stupéfaite, en réalité, de découvrir que les systèmes de toilettes mobiles, ceux que vous croisez en rang d'oignons près de n'importe quel événement public, n'étaient nettoyés que d'un très sommaire coup de jet d'eau froide. Les agglomérations près des points de sortie des itinéraires répertoriés sur les rivières doivent être bien mieux loties. De toute manière, le coup de fil vaut le coup - et peut-être même que cela donnera à quelqu'un l'idée de proposer une mise à jour des procédures de santé publique en la matière. Une autre possibilité pour traiter vos déchets au final reste les stations d'épuration. Là, le contenu de vos réservoirs sera versé dans une cuve ouverte, mais la saleté collée au fond reste à votre charge…

Si vous partez longtemps, ou avec un groupe nombreux, vous aurez besoin de plusieurs containers. Lorsque vous calculerez les volumes, vous ne devrez pas vous en tenir seulement au volume "réel" estimable, mais aussi considérer le "facteur de dégoût". Utiliser le même container pendant plus de deux ou trois jours, ou jusqu'à ce qu'il soit plein à ras bord, rendra nauséeuse toute personne normalement constituée : dans le cadre du si traditionnel conflit attirance/répulsion, la plupart d'entre nous jettent instinctivement un œil dans le trou avant de s'asseoir. De plus, s'ajoutent toutes les questions critiques des éclaboussures, et autres vagues, sans parler, pour les gentlemen, de la sécurité même de leurs charmants attributs. (Vénérable est ainsi, le système de fixation du siège de toilette qui permet de se percher haut au-dessus du contenu du réservoir !). Les désodorisants, souvent appelés adoucissants, peuvent aussi aider a minima à lutter contre ce "facteur de dégoût". Les prix que j'ai relevés sont tous des prix de détail. Certains incluent l'envoi. Toutes les dimensions données sont celles des containers seuls - parfois en dimensions internes, parfois en mesures extérieures - sans les systèmes de sièges assemblés dessus. Les termes "utilisations/jours" signifient : une personne, une journée. En d'autres termes, 50 "utilisations/jours" signifie que 5 personnes peuvent y chier pendant 10 jours, ou 10 personnes pendant 5 jours, ou encore 50 personnes pendant un jour. Les capacités indiquées ne sont pas calculées par une méthode standard unique, mais données selon les indications fournies par chaque fabricant. Certains parlent en caca par réservoir, d'autres en nombre de gens par jours, (et qu'importe ce qu'ils ont mangé), et d'autres encore ne jurent que par le ras bord absolu du réservoir.

Dans ce sens, je pense qu'il est difficile d'essayer d'établir à quoi ressemble un réservoir à merde "moyen". Ce n'est en tout cas pas simplement de l'ordre de la franche et massive réplique de Woody Guthrie dans le film *Bound for Glory* : "le plus tu manges le plus tu chies...". On note d'ailleurs, sur ce délicat sujet du "caca moyen", et notamment dans les encyclopédies médicales, une certaine réticence à donner un chiffre précis sur ce thème. Qui que ce soit qui aille aux toilettes entre 3 et 21 fois par semaine est considéré comme normal. La production par individu dépend de son âge, de sa taille, de son régime, de son sexe, de sa race, du continent où il habite, et même de sa personnalité. Les gens qui mangent plus de fibres produisent plus de déjections. Les hommes, selon ces lois, produisent plus que les femmes. Un étron typique d'un Indien pèse trois fois plus que celui d'un Anglais ou d'un Américain, alors même qu'en Ouganda (où l'on mange sans doute des briques) elle pèsera jusqu'à cinq fois plus. Ceux d'entre nous qui ont survécu aux années soixante, poursuivis par l'éternel mot d'ordre du "se sortir de notre merde ensemble", seront sans doute désespérés d'apprendre que même si notre caca contemporain pue peut-être moins, il pèse probablement plus qu'hier. La cinquième édition des *Maladies gastro-intestinales : pathophysiologie, diagnostique, traitement, de Sleisenger et Fordtran* (Philadelphie, W.B. Saunders, 1993) nous dit encore que les gens pourvus d'une haute estime d'eux-mêmes produisent des étrons plus lourds. Il doit y avoir un proverbe sur la fortune qui se cache là-dessous. Quelque chose comme : trop de psycho-thérapie fait grossir le business des toilettes portables ! Par chance, Carol Hupping Stoner nous donne pourtant une échelle solide pour se raccrocher à quelque chose, parmi ces moyennes introuvables. Dans son ouvrage *Adieu les toilettes : les alternatives économisant l'eau pour les bassins, les fosses septiques et les égouts* (Emmaus, PA : Rodale press, 1977), elle place la barre moyenne du poids quotidien des excréments produits à un demi-kilo tout mouillé.

Quelques derniers conseils ? Transportez toujours cinq litres d'eau avec vous pour le DDT. Et posez beaucoup de questions.

Les systèmes lavables/réutilisables/transportables d'évacuations des déchets humains.

Le **Baño** (540 $, de Holiday River Expeditions, 544 East 3900 South, Salt Lake City, UT 84107, tél. : 801-266-2087). Avec son nom évoquant ses origines hispaniques, le Baño possède un réservoir en plastique moulé (du même type que celui des grands containers-poubelles) avec des poignées en aluminium, un système d'attache inoxydable et un siège de toilette en plastique rigide. Il n'y a pas de joints caoutchouc à nettoyer : le bouchon et la boîte sont étanchés par un système de fermeture verrouillé. Sans supplément de prix, le kit de nettoyage pour les stations des points de rendez-vous est inclus (entonnoir avec manchon dimensionné pour recevoir un tuyau d'arrosage. Le pommeau de l'entonnoir dispose d'un système de jet d'eau intégré). Le réservoir est de forme stable (35 x 42 x 31 cm), légèrement plus petit que deux boîtes de fusées de 30 mm. L'ensemble pèse 7,5 kg et possède une capacité de 50 utilisations/jour. Il manque en accessoire une valve de pression, mais je me suis laissé dire que le réservoir était suffisamment flexible pour supporter les surpressions. Un réservoir supplémentaire coûte 300 $, et un système de rangement pour le siège de toilette vaut 24 $. The Green River, branche d'Holiday River Expeditions loue le Baño pour 25 $ (entre un et trois jours), 45 $ (entre quatre et sept jours), 2 $ supplémentaires par jour ensuite, et 5 $ pour le siège. La compatibilité avec la Scat Machine n'a pas été testée. Elle pose question avec ces réservoirs de moins de 32 cm de hauteur. Le Baño est utilisé par la Colorado Outward Bound.

Le **Jon-ny Partner** (445 $, par la Partner Steel Company, 3187 Pole Line Road, Pocatello, ID 83201, tél. : 208-233-2371). Nous avons ici ce que beaucoup appellent la Rolls des toilettes portables, avec son réservoir en acier à l'épreuve des bombes ! Le prix inclut le réservoir avec une valve de pression automatique, plus une ouverture ($\oslash$ 10 cm) pour le lavage, les bouchons de transport avec joint en caoutchouc et collier de serrage, le siège de toilette avec fermeture et un kit de lavage (entonnoir verrouillé avec manchon pour tuyaux) pour les stations aux points de rendez-vous. Il est également compatible avec les Scat Machines. Un réservoir supplémentaire coûte 259 $. De bonnes poignées de chaque côté du siège, ainsi que des dimensions "carrées" (30 x 30 x 42 cm) assurent une stabilité d'assise même aux moins gracieux d'entre nous. La capacité est de 50 à 60 utilisateurs/jour, calculée sur une étude réalisée auprès des rafters, qui mangent tous les matins au petit-déjeuner des choses telles que du lard et des omelettes. Le poids à sec est de 10 kg, 45 à pleine charge. Le siège de toilette est équipé d'une jupe qui s'insère dans le réservoir, ajoutant encore à la stabilité, mais nécessitant parfois un nettoyage avant d'être démonté. Le Jon-ny Partner est utilisé aussi bien par des organisateurs ou des individuels sur bon nombre de rivières, que par le personnel d'entretien des sentiers de forêt dans l'Idaho, sans oublier de nombreux chasseurs pour leurs camps de base. Les demandes de modification sont bienvenues : joignez alors Harvey Partner lui-même.

La **Green Machine** (285 $, chez HeadGear, 1428 Warner Avenue, Lewiston, ID 83501, tél. : 208-743-0625). Une unité siège/réservoir de qualité quasi industrielle, construite autour d'un réservoir en fibre de verre laminée, avec systèmes d'attaches inoxydables et poignées. La base est de la taille de deux boîtes de munitions de 20 mm (45 x 50 x 36 cm). Le réservoir possède une sortie pour connecter un tuyau de jardin ($\oslash$ 1,3 cm), qui sert de point de ventilation au campement, et d'une ouverture ($\oslash$ 7,5 cm) pour le nettoyage ; il est livré avec un bouchon-entonnoir. Le poids à sec est de 8,5 kg, pour 50 kg à pleine charge, avec une capacité de 55 à 63 l, ou encore de 125 à 200 utilisateurs/jour (sur la base de dépôts solides uniquement). C'est une unité stable et compatible avec la Scat Machine. Le bouchon de siège fonctionne également comme bouchon de fermeture lors du transport, et peut nécessiter un nettoyage après une journée passée dans des rapides remuants. Son fabricant Curtis Chang effectue volontiers les demandes de modifications, et peut adapter des réservoirs d'autres types pour des cas spécifiques. Les Green Machines sont utilisées depuis 1983 par Northwest Dories, la compagnie de descente de rivières de C. Chang, ainsi que par la Curry Company, dans le Parc national du Yosemite.

Le **Human Waste Tank** (265 $, de Waterman Welding, 2552 US 89A South, Kanab, UT 84741, tél. : 801-644-5729). La taille standard (35 x 52 x 30 cm) de ce container en aluminium, résistant à la corrosion, occupe le volume de deux boîtes de munitions de 20 mm. Pour n'importe quel autre type de dimension, adressez-vous à Scott Dunn. Guide de rivière sur le Grand Canyon avant les réglementations sur le *Remportez tout*, Dunn fut l'un des tout premiers à promouvoir la containérisation. Il se souvient encore du passage des services du parc en inspection de routine, il y a près de 20 ans, alors qu'il expérimentait un système boîte de munitions/sacs plastiques : "Ils ne m'ont pas très bien noté pour mes connaissances du terrain, dit-il, mais j'ai cartonné à la ligne Déchets humains !". Le Human WasteTank, dessiné à l'origine en 1972 par Ron Smith, de Grand Canyon Expeditions, était en avance sur son temps avec son container lavable et réutilisable. Le Tank possède une valve automatique et un drain de nettoyage ($\oslash$ 7,5 cm). Il est livré avec une bâche de transport avec système de serrage, un siège fixe et des poignées de transport qui ne dépassent pas. Grâce à son ouverture ($\oslash$25 cm), il est compatible avec la Scat Machine. Pour le vider sur les stations aux points de rendez-vous, il est nécessaire d'acheter le kit de raccordement (69 $). Il est encore nécessaire d'acquérir votre propre système d'entonnoir, de verrouillage, et le siège de toilette. Sa capacité est de 225 l, bien au-delà des 100 utilisateurs/jour. Un réservoir supplémentaire coûte 205,5 $. Ce système est destiné aux groupes importants. Il m'a été rapporté qu'un groupe "non-commercial" de 10 personnes très déterminées avait fonctionné avec un seul réservoir pendant 10 jours. Cette unité est légère pour sa taille (6 kg), mais il faut pas mal de muscles pour la déplacer lorsqu'elle est pleine. Ce modèle est vendu aux organisateurs comme aux particuliers.

J'aime particulièrement le nom du modèle qui suit. Il s'agit du **Magic Groover** (255 $, par Magic Groover, P.O. BOX 638, Westminster, CO 80030, tél. : 303-657-1779). David Waddle a conçu son système de boîte en acier en partant de l'idée qu'il était stupide de jeter les vielles caisses de 20 mm, puisque son propre container les accepte très bien à l'intérieur. Le réservoir possède une ouverture de lavage à baïonnette ($\oslash$7,5 cm) s'ouvrant d'un quart de tour et une valve automatique. Elle est livrée avec un entonnoir de nettoyage, un siège de toilette standard avec un bouchon. Le système est compatible avec la Scat Machine et les points des stations de rendez-vous. Dans ce dernier cas, le système de projection intégré nettoie l'intérieur pendant que le bouchon à baïonnette reste fermé, garantissant quasiment un contact zéro avec les matières fécales. Sa capacité est de 50 utilisateurs/jour, son poids à sec est de 5 kg, 50 à pleine charge. Un réservoir coûte 185 $. Le Magic Groover trône merveilleusement bien sur le bat d'un cheval, et est utilisé par les Bureaux de l'aménagement du territoire de l'Utah et du Colorado pour leurs équipes de patrouille ou sur les études sur la pêche, dans les camps de bases des grimpeurs dans les déserts, par les lycées lors de leurs classes de découverte. La sœur de David, qui travaille pour les PTT américains, songe à en installer un dans son fourgon postal.

Le **River Bank** (215 $, de Septic Bank, 1213 Thousand Springs Grade, Wendell, ID 83355, tél. : 208-536-5368) est joliment nommé, puisque contrairement aux *trous de chat*, rien n'empêche effectivement de jouer son rôle au bord de la rivière. L'ensemble caisse/toilette (40 x 40 x 43 cm) abrite un bidon de 5 litres en guise de réservoir. Il y a de la place dans la caisse pour ranger du papier toilette, des désodorisants et les produits de nettoyage (qui, pour n'importe quel système, sont bien à ranger quelque part). Livré avec l'unité caisse/siège et le bouchon du siège un tuyau d'évacuation de 30 cm et pour le récipient, un tuyau d'évacuation de (⊘7,5 cm). Le bouchon de celui-ci est équipé d'une valve de pression. Depuis 1994, le bouchon de transport du récipient est équipé d'un système acceptant un tuyau d'arrosage lors du nettoyage. À l'exception du bouchon d'évacuation, tous les éléments sont en polyéthylène type kayak. Les bidons supplémentaires coûtent 75 $. Le poids à vide du récipient est de 3,5 kg, 15 à 20 lorsqu'il est plein, avec une capacité calculée pour 30 utilisateurs/jour (rempli à un niveau de 14 litres). La caisse et le récipient ont des poignées réglables, pratiques. Un bidon de 22 litres, avec un bouchon vissé (15 $) est également disponible, et tous sont compatibles avec la Scat Machine. Ce modèle est utilisé par Hughes Rivers Expeditions, et dans bien des randos en montagne, loin des ranchs des copains de l'Idaho.

Le **D-Can**, alias la boîte blindée (148 $, de Canyon REO, P.O. Box 3493, Flagstaff, AZ 86003, tél. : 800-637-4604) est en fait constitué de caisses de munitions réformées. Ces nouvelles boîtes de munitions de 25 mm, issues des surplus, sont plus grandes (44 x 25 x 36 cm) de quelques centimètres et plus stables que les boîtes de 20 mm. Les boîtes sont enduites à l'intérieur d'une couche polyuréthanne facile à nettoyer, et équipées d'une ouverture pour le siège soudé. Un double joint sur le bouchon de transport offre une étanchéité garantie "Donny Dove". La boîte est compatible avec la Scat Machine, et pour 10 $ de plus, vous pouvez avoir installé un bouchon qui accepte un tuyau de lavage dans les stations des points de rendez-vous. Le jet d'eau se fait par l'ouverture du siège (⊘25 cm). Le poids à sec est de 13 kg, avec une capacité de 70 à 80 utilisateurs/jour (jusqu'à 100 pour les vrais héros). La boîte n'est pas équipée de valve de pression, et vous devez acheter votre propre tuyau d'évacuation, ainsi que le siège de toilette. Vous pouvez aussi louer un D-Can pour 1,50 $ par jour. Et ce qui est bien, c'est que pour 12,50 $, à la fin de votre sortie, vous pouvez ramener votre D-Can plein chez Canyon REO, et rentrer tout simplement chez vous. Si vous voulez vous compliquer la vie, pour juste un peu moins d'argent, il existe des services de nettoyage qui videront, nettoieront à la vapeur et désinfecteront votre boîte (voir la liste après Pro Ammo Cans). Les D-Cans sont utilisés par Arizona Raft Adventures, et sont vendus à bien des rafteurs dans tout le pays.

Coyote Bagless Toilet Systems (120 $, par Four Corners River Sports, P.O. Box 379, Durango, CO 81302, tél. : 800-426-7637). La caisse de polyéthylène (30 x 30 x 35 cm) possède un système séparé de siège de toilette. L'évolution du modèle, en 1994, vient d'un bouchon vissé avec joints, intégrant une poignée de transport. Le poids à sec est de 4,5 kg avec une capacité de 55 utilisateurs/jour. Le système comprend le bac avec un orifice de nettoyage (⊘7,5 cm), un bouchon de transport/nettoyage avec adaptateur de tuyaux d'arrosage, un siège de toilette en plastique (sans bouchon), un tuyau d'évacuation (30 cm) adaptable. Le réservoir supplémentaire avec des ouvertures (⊘7,5 cm) et le bouchon simple de transport vaut 65 $. L'équipement est compatible avec la Scat Machine, mais ne possède pas de valve. Le bouchon de transport sert de fermeture pour le siège lors des camps, et le portage, à défaut de poignées, se fait par une sangle. Du côté de ses plus, le Coyote Bagless Toilet System est stable, d'un poids léger et son prix est correct. Il est principalement vendu à des amateurs de descente de rivière.

Le **Scat Packer** (89,95 $, de Wilson Enterprises, 18660 South Greenview Drive, Oregon City, OR 97045, tél. : 503-631-3844). Ce modèle léger est constitué d'un container en polyéthylène de haute densité (⊘35 cm). Il pèse moins de 2 kg, 22 lorsqu'il est plein, avec une capacité de 40 utilisateurs/jour. Il est équipé d'un bouchon de transport vissé avec système de verrouillage, d'une base de siège adaptée, et d'un siège de taille standard, d'un bouchon d'évacuation équipé pour recevoir un tuyau d'arrosage. Les réservoirs supplémentaires coûtent 26,25 $. Il est recommandé de l'installer à l'ombre, ou de régulièrement ouvrir son bouchon, car cette unité n'est pas équipée de valve de pression.

Il existe aussi le **Scat Packer Junior** (74,95 $, de 30 cm, ⊘28 cm) pour l'utilisation à la journée. Le Junior possède les mêmes accessoires, sauf la base du siège. Les containers additionnels valent 20,70 $. Un harnais de transport en sangles de Nylon est également disponible pour les deux tailles du Scat Packer. Les deux unités se vident dans les stations de points de rendez-vous. Le grand modèle est compatible avec les Scat Machines. C'est un bon système pour les petits groupes, ou lorsque qu'il peut être changé tous les jours avec des groupes plus importants. Vendu aux rafteurs sur tout le territoire.

Le **Porta Potti** est fabriqué par Thetford Corporation. Ce nom de *porta potti* (le petit coin portable, ndt) est devenu aujourd'hui générique pour ce type de matériel. Le Porta Potti est un ensemble siège/réservoir avec une poignée et un tuyau d'évacuation. Plutôt à l'aise dans les cabanes, les bateaux et les caravanes, il n'a pas été conçu pour les descentes de rivières ou la randonnée. Un système de chasse d'eau chimique ajoute du poids tout en diminuant la capacité du réservoir. Sans un système de transport hermétique, des fuites peuvent arriver. Plusieurs tailles sont disponibles, il est distribué en magasin. Je préfère la plus petite version (13 x 35 x 40 cm), le modèle 155, vendu 69,96 $. Il pèse moins de 5 kg et contient jusqu'à 12 litres d'eau avec un réservoir de 20 litres, qui permet de tirer la chasse… 45 fois.

Les caisses de munitions des **Professional River Outfitters (PRO)** (1802 West Kaibab Lane, Flagstaff, AZ 86011n, tél. : 602-779-1512), issues des caisses de munitions de 20 mm de la Seconde Guerre mondiale sont disponibles en location. Pour 1,50 $ par jour, à partir de Flagstaff, vous recevez la caisse, un siège monté sur un adaptateur qui couvre la caisse, ainsi qu'un dossier de siège. La capacité est de 50 à 60 dépôts. Des caisses supplémentaires sont en location pour 0,50 $ par jour, et peuvent très bien servir de caisse pour du charbon ou du papier toilette avant d'être utilisées comme réservoirs. Ceux qui possèdent déjà leur caisse de 20 mm peuvent acheter le siège de toilette (60 $) et le dossier (60 $). Dans quasiment n'importe quel magasin de surplus de l'armée, vous pouvez acheter une caisse de 20 mm pour 10 à 15 $, et vous devenez ainsi le fier détenteur d'un morceau de l'histoire américaine. (En fait, de plusieurs histoires…) Vérifiez bien l'étanchéité du bouchon : ne devinez pas, testez-le. Bruce Helin, le président de PRO Inc., conseille même de marquer vos bouchons et vos caisses, car "maintenir toujours la même position de fermeture offre la meilleure étanchéité". Ces caisses sont compatibles avec les Scat Machines, elles peuvent être vidées dans les stations d'épuration, ou vous pouvez acheter un entonnoir pour les vider dans les stations des points de rendez-vous. Dans ces deux derniers cas, vous êtes forcés de nettoyer manuellement le réservoir. Pour ceux qui louent chez PRO, la vidange et la stérilisation au chlore peuvent être prises en charge, pour 8,50 $ par caisse. Pour les gens qui possèdent leurs propres caisses, (ou quelque soit le type de réservoir) deux entreprises de nettoyage de Flagstaff assurent le même type de service. Contactez :

A-Aaron's Sanitation Service & Scotty's Potties (11 $ par réservoir, 1860 West Kaibab Lane, Flagstaff, AZ 86001, tél. : 602-779-1767), ou **Sandoval's Tanks a Lot** (10 $ par réservoir, 3200 North Fourth Street, Flagstaff, AZ 86004-2013, tél. : 602-526-0139. Chez Sandoval, demandez Andy ou Ralph. Leur devise est "Une bonne chasse vaut mieux qu'une belle maison".

Molded Fiber Toilet Liners, également connu sous Fiber Pots ou encore Pickle Pail Liners (5 $ ou moins, de Western Pulp Wood Company, P.O.Box 968, Corvallis, OR 97339, tél. : 503-757-1151). Ce bidon biodégradable est en papier recyclé et est livré avec un lot de 5 disques prédécoupés que l'on met en place sur chaque dépôt journalier. Un pot avec ses diviseurs et son bouchon pèsent 700 g, 10 kg lorsqu'il est plein. Pour utilisation, le sac est placé à l'intérieur d'un bidon de 5 litres (le type même des petits bidons à mayonnaise que l'on voit dans les restaurants américains), surmonté d'un siège de toilette. Sa capacité est de 20 à 25 utilisateurs/jour (uniquement des déchets solides ; pas de pipi !). Le BLM de Baker City, dans l'Oregon, a mené une étude sur l'utilisation de ces pots en fibre dans la nature, en les mettant à disposition sur les secteurs de Grande Ronde, Lower Salmon et Snake River. Pour faciliter son traitement aux points de sortie, le BLM, avec l'aide de la société Scheler Manufacturing, a fabriqué un broyeur électrique, monté sur un réservoir mobile (10 000 $ l'ensemble). Un broyeur manuel, utilisable dans les coins reculés, s'est révélé nécessiter vingt bonnes minutes de travail par pot, mais le BLM pense pour l'avenir à un système de broyeur alimenté au solaire. Un des avantages de ce système est qu'il ne nécessite pas, dans les lieux isolés, d'évacuation par égout, mais seulement un réservoir/broyeur mobile, ou encore un broyeur et une fosse enterrée, du même genre que celle que vident les entreprises de nettoyage des fosses septiques. Miracle, avec ces Molded Fiber Toilet Liners, la seule tâche du randonneur avant de reprendre la route est de jeter tout son petit paquet dans le broyeur !

Ammo can conversions and epoxy powder coatings and Guard Coat (de X-Stream Whitewater Boats, 4605 McLeod NE, Albuquerque, NM 87109, tél. : 505-881-2458). Demandez Stuart Rogers, qui croit aux mesures d'économie. Pour 12,50 $, vous pouvez acheter leur drain/bouchon à baïonnette et l'installer vous-même sur votre boîte à munitions pour permettre sa vidange dans les points de rendez-vous. Ou pour 25 $, (bouchon compris) X-Stream l'installera pour vous. Ce bouchon modifié n'est utilisé que pour les nettoyages. Pour un nettoyage plus facile, X-Stream peut enduire l'intérieur des caisses d'une résine époxy (35 à 40 $). Rogers conseille ce traitement aux utilisateurs individuels et consciencieux en matière de nettoyage, car la moindre éraflure finit par rouiller. Et cogner la caisse contre un rocher peut émailler la résine. En discutant avec lui, vous finirez par comprendre que la seule bonne raison pour l'enduction est de satisfaire aux critères des bureaux des permis sur les rivières, qui demandent aux prétendants de "mettre en œuvre tous les moyens nécessaires" pour avoir de bons réservoirs. Pour moins cher encore, X-Stream vend également des produits Guard Coat série 200, utilisés par les gardes-côtes et la marine pour traiter le métal contre la corrosion, pendant une période de plus de trente ans en milieu salin. Un pot (24,95 $) est suffisant pour traiter deux caisses de munitions. Pour préparer les caisses à ce traitement, Rogers conseille de bien enlever les traces de rouille avec un produit approprié, puis de sabler au jet l'intérieur. Ou encore de les faire traiter dans un magasin automobile spécialisé dans les radiateurs. Un autre conseil de Roger consiste à peindre les bidons en blanc, pour minimiser l'absorption de chaleur.

Maintenant, à nos narines ! Il existe un univers de produits adoucissant/décomposant/traitant les odeurs. Tous ces produits qui sauvent nos glandes olfactives des overdoses d'effluves fatales et nauséabondes ! Mais commençons par ce qu'il ne faut pas faire :

À ne surtout pas faire !
Ne mettez pas de produits chimiques toxiques ou d'additifs à base de formaldehyde dans vos réservoirs. Ils interfèrent avec l'action des enzymes et des bactéries nécessaires à la décomposition.
Les usines d'épuration peuvent vous conseiller et vous orienter sur des produits organiques. Il existe des myriades de produits antiodeur, tueurs de germes pathogènes sur le marché. Je n'en présente ici que deux, aux formules naturelles qui ont une bonne odeur, et qui activent l'assimilation des déchets.

BioBalance RM 41 (de Tri Synergy Inc., P.O. Box 27015, San Diego, CA 92198, tél. : 800-446-6076). Fabriqué avec trois types de bacilles, le RM 41 est un liquide adoucisseur/assimilateur de déchets qui a une légère odeur de savon à la rose. D'après Lisa Butler, cofondatrice de Tri Synergy, le RM 41 a été développé à l'origine à la demande de plusieurs parcs naturels de Californie pour l'utilisation dans les réservoirs des points de rendez-vous. Les mouches étant attirées par les odeurs de fèces, le parfum du RM 41 masque cette odeur jusqu'à ce que les bactéries se mettent au travail. Ce produit est disponible sur certains points de rendez-vous, ainsi que chez Tri Synergy. De 3,88 $ à 9,67 $ selon le volume des sprays.

First Round Knock Out, (20 $ avec le spray, par Southwest Hollowell, 2140 East Fifth Street, Suite 9, Tempe, AZ 85281, tél. : 602-966-3988). Jim Hilleary, qui a concocté cette potion magique à l'eucalyptus affirme que c'est "la réponse à la prière de tous : que leur merde ne pue plus !". Une lettre reçue d'un rafteur sur le Grand Canyon peut encore vous éclairer : "Notre descente de rivière a duré 10 jours avec 14 personnes en pleine forme. Nous avons traité nos toilettes portatives comme vous nous l'avez indiqué au début du voyage. Nous n'avons eu à retraiter ces mêmes toilettes qu'après quatre jours". Le produit d'Hilleary est une composition d'huiles botaniques naturelles et d'enzymes mangeurs d'odeurs, et a sans doute quelque chose à voir avec les odeurs anciennes et un peu oubliées de nos grandes mamans. J'ai pensé, à sa fragrance, aux vieux remèdes contre le rhume, le Vicks VapoRub. Très peu de produit suffit pour un bon moment. First Round Knock Out est également conditionné en demi-carton et carton (12 flacons, avec deux vaporisateurs).

Depuis que j'ai commencé à écrire sur les manières d'éliminer nos déchets humains solides dans la nature, la pratique du *Remportez tout* s'est considérablement répandue, des rivières aux flancs des montagnes, par-delà les déserts et jusqu'au large des océans. Le nombre de personnes cherchant à acquérir ces techniques d'enlèvement, ou encore à en inventer de nouvelles, est proprement ahurissant. La technologie qui se développe autour de ces problèmes l'est aussi. Vous allez le découvrir dans le chapitre qui suit : nous ne sommes peut-être pas loin de l'avènement d'un remarquable éliminateur de caca. Un modèle ultrasonique futuriste, possédant la capacité de modifier instantanément la structure moléculaire d'un étron humain. Vous imaginez ça ! Un pistolet laser pour le trekkeur des montagnes. Caca, et puis : pfttt ! Plus rien.

Chapitre IV

La complainte du ramasseur solitaire

Chacun, à un moment ou à un autre, en retient une.
Pico Iyer, *Chuter de la Carte*

Vous ne pouvez y échapper. Tous les jours,
une partie de vous-même devient de la merde.
Don Sabbath et Mandel Hall
Produit final, Tabou Premier

Faisons maintenant un détour vers le "côté sauvage" de tout ça. C'est un fait : il est aujourd'hui de plus en plus couramment admis que transporter son petit caca bien au chaud dans un sac à dos n'est pas vraiment une pratique impensable. Reste qu'à première vue, c'est extraordinairement dégouttant. Ou alors, il faut vraiment bénéficier d'une météo suffisamment polaire pour tout congeler. Cependant, pour dépasser l'incontrôlable "Beurk !" initial, il n'est pas inintéressant de regarder l'ensemble du processus qui nous occupe comme étant l'une des merveilles offerte par la physique - la transformation de x portions de nourriture en x cacas - et qui n'est au fond que l'une des innombrables (et certes nouvelles !) déclinaisons de la formule d'Einstein : $E = mc2$. Lorsque nous en arrivons à ce point d'intimité avec nos propres volumes d'excréments, nous ne pouvons plus éviter une réflexion préalable sur les pouvoirs magiques de Mère Nature.

Pour commencer, nous allons examiner le quand et le comment du *Remportez tout* lorsque, pour le marcheur solitaire, il n'est pas possible ou pas écologique de creuser son trou. Le *Remportez tout* est recommandé aux grimpeurs (ces oiseaux mal éduqués), aux campeurs fonctionnant dans des conditions météo sévères (lorsque vous ne pouvez pas déposer la moindre saleté dans un site, ou qu'il vaut vraiment mieux rester sous la tente), mais encore, plus massivement, aux visiteurs de zones très fréquentées qui sont prêts à faire l'effort nécessaire pour les conserver intactes (et je pense à tous les pollueurs de l'Himalaya aussi). Sans oublier les kayakistes de mer, les spéléos, ou qui que ce soit parcourant des systèmes écologiques fragiles. Dans ce vaste tableau, il est clair, au vu des acrobaties supplémentaires à fournir pour garder la paroi d'une montagne propre, que la tâche la plus difficile appartient aux grimpeurs. Que puis-je leur dire ? Entraînez-vous. Choisissez un bidon, et allez vous pendre dans l'arbre du jardin.

Les années passées ont connu une demande croissante pour une méthode individuelle fiable et inoffensive de rapatriement des matières fécales vers les points de départ des randonnées. Dans différents coins du continent, des génies inventifs se sont mis au travail, pour soulager cette complainte du chieur solitaire. C'est une équation difficile à remplir. Un concept d'usage acceptable pour un individuel doit couvrir à peu près les mêmes besoins que pour un groupe, mais l'inventeur doit garder en tête que le ramasseur de merde typique sera probablement plus un randonneur ou un kayakiste très occasionnel, bien moins intéressé par les questions de chasse d'eau qu'un guide professionnel payé pour se coltiner le sale boulot des toilettes portables. En d'autres termes, un container individuel doit être solide mais très léger, suffisamment petit pour être aisément transportable, mais suffisamment gros aussi pour contenir plusieurs jours de dépôts. Personne n'imagine que ce genre de truc puisse s'ouvrir dans son sac à dos : il doit donc posséder une fermeture vraiment efficace. Il serait plus efficace encore s'il pouvait ventiler les gaz et éviter ainsi d'exploser dans ce même sac. Et il ne devrait pas non plus, en action, basculer facilement par terre (jamais !). Il devrait encore être facile à laver et stériliser, voire (autre solution) être totalement biodégradable. Une forme étudiée pour y satisfaire directement ses besoins serait un plus. Comme, aussi, une compatibilité avec les stations des points de rendez-vous et les fosses septiques.

Pendant plus de cinq ans, mon ami Rick Spittler et moi avons jeté des idées en l'air, et nous avons finalement conçu un prototype. Si, nous l'avons fait ! Il ressemble tellement à une bombe que depuis qu'il l'exhibe un peu partout, Rick soupçonne le FBI de ne plus le lâcher d'une semelle : "Ils ont du mal à comprendre", marmonne-t-il, "que ce truc ne sert qu'à faire ses besoins dedans". Cependant, pour être vraiment sincère, je dois confesser que je me suis toujours débrouillée pour éviter notre laboratoire de test, jusqu'ici. Ce lieu, c'est le garage de Rick, qui est rempli de bidons de toutes tailles, de toutes capacités et de tous matériaux imaginables. Ils occupent toutes les étagères, sur les trois murs. Chacun possède son étiquette, une date, une note sur l'expérience en cours ou déjà réalisée : certains sont bourrés de papier, d'autres d'enzymes, d'autres de cellulose, les plus gros remplis des déchets d'une semaine pleine, juste pour voir si ça rentre, etc. L'autre jour, son fils de quatre ans, qui traînait dans le garage, lui a demandé : "Papa, qu'est-ce qu'il y a dans ces bidons ? On dirait du caca !". À quatre états de distance, mon job consiste à consoler Rick par téléphone. J'essaye toujours d'être utile. "Dis-lui simplement que ce sont ses affaires de collège". Nous avons baptisé notre bombe **Go with the J-UGH** (*Partez avec la gourde*, 34,50 $, de Go with J-UGH, P.O. Box 352, Stevensville, MT 59870, tél. : 800-642-JUGH).

À l'époque, ce nom sonnait bien, mais maintenant, nous serions plutôt en train d'attendre quelqu'un avec une vraie bouteille, pleine par exemple, d'un whisky de 400 ans d'âge. Notre J-UGH est un cylindre en aluminium léger (⊘ 7,5 cm, moins de 500 g). Le modèle Sojourner (37 cm) contient de trois à six dépôts, avec le papier toilette, cela dépend largement des habitudes alimentaires de son propriétaire - vous êtes plutôt papillon, flamand rose ou diplodocus ?- et du volume de papier utilisé. Le Sprinter, plus court (25 cm) est recommandé pour les sorties à la journée ou avec un seul bivouac. Les dépôts sont faits pratiquement partout, facilement, sur un papier absorbant (le papier toilette convient) et il est ensuite transféré dans le cylindre. Les lanières latérales aident à l'esthétique générale et lors des opérations de nettoyage après le voyage : dans la plupart des cas, le contenu sort proprement en une fois, avec très peu à nettoyer. Les deux extrémités du cylindre sont dévissables (bouchons avec joints), permettant de vider le contenu et d'offrir un accès très facile pour tout laver. Le contenu peut être déposé dans un égout, une fosse septique, dans les systèmes des cabanes-abris, voire même aux toilettes à la maison lorsque l'on tire (doucement !) plusieurs fois la chasse. Un nettoyage final peut être fait avec une brosse. Côté bouchons, durant les tests, un cylindre a absorbé deux jours de soleil californien sans exploser. Des longueurs personnalisées peuvent être commandées. Le J-UGH est destiné aux randonneurs, skieurs de randonnée, kayakistes de mer, alpinistes, chasseurs… et même aux vététistes et aux amateurs de 4x4.

C'est du Canada que nous vient son principal concurrent, qui est peut-être d'ailleurs le salut en la matière pour la planète. Il s'agit du **Personal Biodegradable Wilderness Toilet** (approx. 2 $, de David Cormier, 86 Edgeview Drive NW, Calgary, Alberta, Canada, tél. : 403-547-0933). David Cormier, trekkeur impénitent, grimpeur et étudiant en design industriel à l'université de Calgary a cherché à développer un "sac à caca" aux vertus magiques, car capable, lors de sa phase de "disparition", de rendre son contenu non pathogène en quelques jours seulement. Ce sac, qui devrait être façonné dans une nouvelle génération de polymères biodégradables (qui ne dépendent plus des ultraviolets pour se décomposer), pourrait se désintégrer complètement en six mois. Il est pensé pour une utilisation unique, et être scellé définitivement après avoir reçu son dépôt. Pour opérer, on le tient à deux mains, accroupi. Un tissu absorbant spécial capturerait immédiatement tout liquide. L'intention de Cormier est d'équiper ses sacs d'un patch microporeux, qui laisse s'échapper les gaz sans aucune fuite de liquide. Un paquet de 10, pesant à peu près 500 g, serait aussi volumineux qu'une boîte de 100 Kleenex. Un sac de transport étanche pourrait être utilisé pour stocker plusieurs jours de réserves. Les possibilités de dépôt vont du simple enterrement dans la nature au compostage, en passant par des systèmes de broyeurs. Aux points de départ des itinéraires, un container mobile pourrait servir de station de collecte - ou les sacs pourraient encore être jetés, par rotation, dans des fûts enterrés. En enterrant ces sacs dans des *trous de chat* en pleine nature, l'avantage est qu'aucun germe pathogène ne se promène dans le sol. Cormier veut tester à fond ses prototypes. À l'heure où vous lirez ces lignes, avec un peu de chance, des millions de ces sacs seront en vente partout...

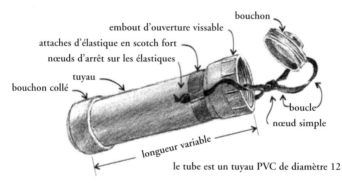

bouchon

embout d'ouverture vissable

attaches d'élastique en scotch fort

nœuds d'arrêt sur les élastiques

tuyau

bouchon collé

boucle

nœud simple

longueur variable

le tube est un tuyau PVC de diamètre 12

Des hautes terres de Sierra nous vient le **Poop-Tube**. Le Service des parcs nationaux (NPS) défend désormais la technique du *Remportez tout* dans les voies d'escalade du parc national du Yosemite (par des techniques différentes, bien sûr, que les traditionnelles envolées de sacs lâchés dans le cosmos). Bienvenue au Poop-Tube ! Mark Butler, grimpeur et spécialiste des sciences physiques au NPS, même s'il refuse toute paternité dans l'existence du Poop-Tube, en utilise un et fait une large promotion de ces containers à bricoler soi-même, vraiment pas chers. La fabrication en est facile, et les matériaux sont vendus dans n'importe quel magasin de bricolage du pays. Coupez une partie de tuyau en PVC (⌀10 cm) de la longueur de votre "voyage", pour ainsi dire - généralement entre 30 et 65 cm de long. Collez un bouchon fixe à l'une des extrémités. Et de l'autre, collez un bouchon vissé. Avec du gros scotch, installez une petite cordelette d'escalade en guise de poignée, et glissez le tout dans votre sac de charge. Les cacas se font dans des petits sacs en papier brun, contenant un fond de litière pour chat, et sont ensuite déposés dans le tube. À la fin du voyage, le contenu est facilement vidé dans l'une des toilettes semi-enterrées du Parc.

Pour les aventuriers souhaitant laisser derrière eux la pudeur caractéristique de nos sociétés occidentales, il existe d'autres solutions encore. Bien des types de bidons de produits d'entretiens pour nos maisons ont été détournés pour une utilisation en pleine nature. J'ai, à plusieurs reprises, entendu parler de saladiers Tupperware ayant été utilisés par des randonneurs, un pour deux dans certains cas. (Je ne peux m'empêcher de me demander si ce genre de partage cimente autant les relations que lorsque l'on se savonne à deux pendant une grosse averse…). La faiblesse des systèmes Tupperware vient de l'action du méthane : une matinée de marche au soleil fera invariablement sauter le couvercle. Mais les utilisateurs semblent s'en sortir en faisant attention. Les bols Tupperware (ou d'autres marques) sont également les préférés de Karen Stimpson, garde au service des sentiers de l'île de Maine. Elle a commencé par améliorer le système en rajoutant une grosse poignée de litière pour chat au fond du bol, mais elle a affiné sa technique au point de rouler son dépôt dans un peu de sable, de terre ou même dans quelques feuilles avant de le ramasser. (Je me demande si les gars chez Tupperware sont au courant de ce genre de choses ?). Si vous ne possédez aucun de ces bidons chics, vous pouvez toujours vous rabattre sur les élémentaires boîtes de lait en carton fermées par du gros scotch, le contenu étant à vider dans les toilettes et le carton lui-même nécessitant d'être lavé avant de le jeter. Lorsque vous utilisez de la litière, pas besoin d'en faire trop : achetez la moins chère…

Encore une fois, si comme moi votre manque d'expérience vous rend songeur face à cette perspective, voici quelques petits secrets facilitant ces ramassages solitaires. Dans la neige, creusez un petit trou, et enfoncez votre container dedans (ça marche mieux avec un Tupperware ou un sac à caca qu'avec un simple papier "collecteur"). Puis asseyez-vous. S'il fait trop froid, posez délicatement vos gants sur votre ventre. Si vous en avez le loisir (ou le désir), vous pouvez vous construire un trône princier, une bosse personnelle de la taille d'une chaise, avec le petit trou dessus. Par mauvais temps, transformez votre container en pot de chambre… dans votre tente. La promiscuité avec vos compagnons vous semble insupportable ? Si vous êtes suffisamment désespéré, qui s'en souciera ? Vous pouvez d'ailleurs faire bien mieux, en les envoyant, *eux,* faire un tour dans le blizzard.

D'autres moyens nettement plus "cosmiques" - dont quelques-uns méritent d'être évoqués -, peuvent aussi aider certains individus. J'ai rencontré un homme qui rêvait de mettre au point un système d'incinération mobile, pour, chaque nuit, déshydrater et stériliser ses fèces. La dernière fois que je l'ai vu, il calculait le volume d'essence pour être autonome sur sa prochaine sortie. Il existe aussi d'invérifiables rumeurs portant sur un sac biodégradable à base de croûtes de fromage.

Il existe déjà - leur arrivée est inéluctable - des systèmes de toilettes solaires assez perfectionnées pour sinon régler, du moins alléger presque totalement la tâche du ramassage. Même si ces toilettes restent interdites dans les zones naturelles protégées où l'on ne peut pas réaliser de construction "en dur", elles existent dans pas mal d'endroits comme de vrais cadeaux du ciel. Sur les îles de Broken Group, dans le détroit de Barkley en Colombie Britannique - un havre pour les kayakistes face aux assauts du Pacifique - des toilettes solaires font énormément pour soulager les maux de têtes des navigateurs et du Pacific Rim National Park. Engagés pour construire ce composteur solaire baptisé Phénix, les membres de la société Sunergy de

Cremona (Alberta) ont démontré qu'ils n'étaient pas de simples plombiers de la nature, mais d'authentiques artistes. Récupérant sur la côte, ici un bois flotté, ici une souche, en créant des décors avec des coquillages collés et en utilisant le rocher naturel pour l'entrée et les marches, ils ont réalisé des abris vraiment accueillants. Suffisamment en tout cas pour que tous les utilisateurs améliorent de beaucoup leur niveau de soins habituels dans de tels lieux. Le Service des parcs canadiens estime que ces toilettes solaires nécessitent moins de maintenance que les légendaires "toilettes tranchées", qu'il fallait vider deux fois par an. Et tout le monde est d'accord pour dire que les effluves sont vraiment peu agressifs. Avec le ventilateur en route, ces petites cabanes sont quasiment sans odeurs.

Dans l'état de Washington, les toilettes solaires offrent à la fois des opportunités pour de la publicité institutionnelle, des exonérations fiscales et même pour d'étonnantes promesses d'immortalité. Sandie Nelson aime à plaisanter en affirmant ainsi que son job principal, en tant que directrice des Itinéraires côtiers de Washington (Washington Water Trails), aura été la création d'un appel de fond pour l'installation de toilettes solaires sur les campements des îles de la Cascadia Marine Trail. L'itinéraire est répertorié comme n'étant accessible qu'aux individuels - ou aux très petites embarcations à voile, capables de s'échouer sur les plages. Un particulier ou une entreprise acceptant de donner entre 3 000 et 5 000 dollars pour l'installation verra son nom gravé pour toujours sur une plaque à la porte des dites toilettes - tout à fait dans l'esprit des plaques de cuivres honorant les donateurs dans les théâtres. Cascade Designs, le fabricant de matelas de camping Therma-a-REST, a été le premier des sponsors. Vite, vite, vite - il n'y en aura pas pour tout le monde ! Vous pourrez peut-être encore trouver votre place, en appelant Washington Water Trails au 206-545-9161.

Cependant, d'autres solutions, et peut-être plus séduisantes qu'il n'y paraît à première vue, existent encore autour de l'idée de transporter avec nous nos propres armes biodégradables : une poignée de scarabées, de vers de terre ou de bactéries qui neutraliseraient les odeurs indélicates et assimileraient les excré-

Comment chier dans les bois

ments dans la terre. Une femme m'a écrit qu'elle mettait ainsi au travail des scarabées - descendants des scarabées d'Égypte ?- dans sa fosse. Ils y passaient même l'hiver sans problème. Une autre correspondante suggérait de faire fonctionner des centrales d'épuration avec des vers plutôt qu'avec de l'eau. En entendant cela, je me suis dit : Formidable ! Revenons un peu à l'époque où l'on ramassait des récoltes fertilisées au fumier - c'est-à-dire à peu près aux alentours de 1850 pour les États-Unis. Mon enthousiasme était encore nourri par la lecture de l'ouvrage de Latee Fahm *The Waste of Nations* (Le gaspillage des Nations), une étude qui, pour moi, devrait être obligatoirement lue par tous ceux qui pensent être dans le coin au XXIe siècle. Clairement, nos orientations devraient aller à la simplicité, à l'élimination de tous les systèmes toxiques ; et vers l'adoption de procédés qui soient écologiquement acceptables pour le cycle global (nourriture-transformée-en-fèces-transformées-en-engrais-transformés-en-nourriture) de la planète. Mais pour le kayakiste ou le randonneur, deux questions pratiques viennent à l'esprit : comment cela peut-il fonctionner sur les sentiers, et quelles seraient les conséquences de cette dispersion de scarabées dans tous les coins du pays ? Si vous en savez plus là-dessus, faites-le moi savoir !

Venue d'un tout autre champ, une technique nouvelle et peu conventionnelle de dispersion des déchets humains existe encore, très spécifiquement dédiée aux zones de nature reculées et peu fréquentées. Révolutionnaire à la fois dans sa terminologie et son approche, cette méthode a été développée ces dernières années dans les plus prestigieuses écoles américaines d'aventure, la Cal Adventures, université de Californie, à Berkeley. J'ai nommé (accrochez-vous !) la technique du *Glaçage de Rocher* (*frosting a rock*). Dans les écoles de la Colorado Outward Bound et de la National Outdoor Leadership School dans le Wyoming, la même procédure prend le nom, certes moins graphique, de l'*enduction* (ou *smearing*, mot recouvrant, sous plusieurs sens, l'action d'étaler une tache, d'enduire une surface d'un produit, etc., ndt). Un randonneur peut désormais se réveiller d'une petite sieste après le repas, balayer le panorama des sommets du regard, s'étirer langoureusement et déclarer : "Je crois que je vais aller tartiner un rocher".

Au premier abord, on pourrait croire que tout ça a été inventé par des préscolaires, et est peut-être même issu de vieux jeux enfantins. Personne ne grandit jamais ! Et pourtant, cette technique requiert en réalité, pour être correctement exécutée, un sens esthétique affûté et un solide bagage scolaire en matière à la fois de climat et de terrain. Cette technique, vous l'aurez compris, n'est pas pour les timides ou les débutants !

Dans des conditions d'environnement appropriées, tartiner un rocher peut être la méthode élémentaire la plus simple et la moins "lourde", à la fois pour le trekkeur et pour notre pauvre vieille terre. Mais elle ne peut être employée qu'en des circonstances assez précises. Quatre éléments doivent être réunis avant même d'appliquer cette technique : une zone vraiment retirée, un soleil intense, une saison sèche, et l'absence d'un sol actif (pas d'activités bactériennes, ou pas de terre). Cela signifie en clair que votre itinéraire est très au-delà de l'altitude des dernières forêts en montagne, ou que vous progressez dans des zones de dunes ou de rochers désertiques, dans des chaos de blocs, d'éboulis, dans des champs de lave, ou dans de vastes étendues de toundra sujettes à un permafrost continu, avec des températures perpétuellement en-dessous de zéro. Si vous n'êtes pas sous un climat aride, il faut au moins que ce soit la saison sèche, sans aucune possibilité que les matières fécales ne soient lessivées par les pluies, ou enterrées par la neige. En effet, vous allez utiliser la plus bienveillante des usines de traitement, le Grand Incinérateur Solaire lui-même : ses rayons ultraviolets vont cuire les germes de vos restes, et déshydrater sa matière jusqu'à ce que les derniers flocons racornis s'envolent dans le vent !

L'éloignement est une donnée majeure à prendre en considération. Il n'est pas vraiment souhaitable de ruiner d'un regard le séjour bien mérité de votre successeur au cœur de la nature intacte. Si la zone où vous opérez est susceptible de recevoir d'autres visiteurs dans les deux semaines à venir, vous devez en rester au *Remportez Tout*. Il est possible, cependant, de minimiser les chances de tomber sur votre signature (si je puis dire), en évitant les sites mondialement connus. Partez loin du petit paradis caché entre les blocs érodés, là ou les gens ont tendance à s'endormir après la pause. Plutôt que de grimper au sommet d'un de ces blocs, ramassez une belle pierre plate de 30 x 30 centimètres et emmenez-la dans un coin où la vue n'est pas aussi pittoresque…

Ceci nous amène à la procédure elle-même. Avec le soleil comme facteur premier du processus de décomposition, choisissez un endroit qui reçoive toute la journée sa lumière directe. Votre spatule sera un caillou. D'abord, vous chiez sur le rocher. Puis vous étalez le tout sur la face qui est la mieux orienté face au soleil. Étalez aussi finement que possible. Le caillou-spatule est laissé sur place, également orienté vers l'exposition maximum. Lorsque j'ai demandé à l'instructeur de Cal Adventures : "Qu'est ce que vous entendez vraiment par aussi finement que possible, là ?", la réponse fut, sans surprise : "aussi finement que lorsque vous nappez un gâteau". Si au beau milieu de cet exercice plastique, vous vous sentez vaguement défaillir, tentez de vous représenter tout ça comme procédant d'une nouvelle forme d'art, ou comme un nouveau miracle dans la longue liste des bienfaits dispensés par les dieux solaires, Hélios et Apollon.

Nos espaces sauvages disparaissent. Nos modes de vie urbains sont de plus en plus fous. Nos besoins de contacts avec la nature augmentent. Et les questions posées par la surfréquentation des sites nous attendent, droit devant. Il n'est pas difficile de s'apercevoir, grâce à la simple addition de tous les *trous de chat* creusés, que seule la technique du *Remportez tout* peut faire reculer les limites de fréquentation dans ces zones. Tout mauvais usage de ces lieux n'est qu'une future limitation de nos plaisirs à les parcourir, demain. Par essence, plus les surfaces des zones naturelles vont rétrécir, plus vous aurez à porter de cacas tièdes dans votre sac à dos ! (C'est un petit quelque chose à méditer, la prochaine fois que vous aurez à prendre partie en matière de préservation de l'environnement).

Nous pouvons flâner sur les courbes de la terre, des montagnes immaculées jusqu'au bord des océans en compagnie de vrais amis, mais il y a un acte qui reste (vraiment) solitaire : aller chier. Paradoxalement, malgré toutes les difficultés que représente l'apprentissage de ces techniques qui consistent à ramasser son caca, et si vous vous sentez d'un coup un peu perturbé, vous pouvez vous accrocher à l'idée que vous n'êtes pas tout seul. Ni dans le sentiment, ni dans la technique. Croyez-moi : vous ne faîtes qu'anticiper le raz de marée à venir en matière d'utilisation de toilettes portables individuelles, et ces techniques sont le prix le moins cher à payer désormais pour préserver les vrais espaces de solitude. Tenez bon. Accrochez-vous à votre container. Bouchez-vous le nez si ça peut aider. Et remportez votre merde avec vous quand vous partez.

Chapitre v

Le trot du Trekkeur

Immodiums, Immodiums ;
Où étiez-vous donc mes Immodiums ?

Voyageur anonyme, Puerto Vallarta.

Lors des secousses générées par un tremblement de terre, des digues de terre peuvent se liquéfier et être balayées par l'eau. Le trot du trekkeur participe du même phénomène, intestinal celui-ci. Et donc propre aux mammifères. Je l'ai vu se produire sur mes chevaux lors d'un feu d'artifice, le soir de la fête nationale, à la campagne. Dans les secondes suivant la première détonation, ils se mirent tous à répandre des jets de soupe verte à la luzerne. Lorsque ces phénomènes de liquéfaction instantanée arrivent à l'*Homo sapiens,* on les dénomme joliment : *Tourista, Revanche de Montezuma, l'effet bis de la pomme verte,* mais encore plus prosaïquement : la chiasse.

Une telle réponse biologique peut être suscitée par tout un tas de facteurs, sans même parler des maladies intestinales.

Notre système immunitaire grandit avec nous, là où nous habitons, laissant nos résistances bien peu préparées aux multiples eaux et nourritures étrangères. Voyager, en soi, est déjà absolument perturbant : changements de climats, d'altitudes, de fuseaux horaires, tous ces facteurs se payent pour le système humain. La peur de manquer toutes nos correspondances d'avion (ou même une seule !) peut pousser n'importe qui à partir désespérément à la recherche de Riopan Plus ou de n'importe quel médicament miracle... Le doux frisson d'une aventure un tantinet trop excitante peut vite faire ressortir "tout ça", presque aussi violemment qu'à l'ouverture d'une canette de bière un peu trop secouée. Deux de mes amis préférés semblent ainsi touchés par ce désordre si particulier, dès lors qu'ils mettent le pied dans un aéroport. Ils ont ainsi forgé un nouvel euphémisme, "la chasse d'air", pour cette affliction des plus terribles qui soient, la diarrhée du voyageur.

Ce court chapitre - aussi court, je l'espère, que vos soucis sur ce sujet - insiste beaucoup sur la prévention. Une fois que vous êtes touchés, il n'y a plus grand-chose à ajouter, si ce n'est d'essayer de ne pas aller vous vider n'importe où, et à bien penser à rester au-dessus de la ligne des hautes eaux ! C'est un vrai secours d'avoir, dans ces moments-là, un bon copain. De ceux qui vous amènent de l'eau, des vêtements propres et un mot de réconfort. Pas de ceux qui rigolent de votre état en se détournant derrière vous. Se concentrer sur la prévention amène automatiquement à s'occuper des pratiques sanitaires. Puisque les germes pathogènes intestinaux (cette bande de mauvais garçons qui opèrent dans vos entrailles) se transmettent par diverses formes de contacts fécaux/oraux, logiquement, le premier pas vers la prévention est - bien sûr - de ritualiser le lavage des mains. Prenez, vous et tous vos compagnons de voyage, l'habitude de vous laver les mains *après* être aller faire vos besoins et *avant* de préparer la cuisine, ou de manger. Soyez maniaques sur ce point ! À chaque campement sur une sortie de raft encadrée, les guides installent un seau d'eau ou une bassine, un savon ainsi qu'une tasse ou une louche à long manche près des toilettes portables. La louche sert à prélever l'eau du seau, afin de ne pas contaminer l'eau propre en trempant vos mains dedans.

Comment chier dans les bois

Un autre excellent système, *le lavabo des haricots réchauffés* a été mis au point par Dan Ritzman, mon compagnon préféré dans l'étude des systèmes de gestion des déchets humains dans la nature. L'idée est née autour des menus traditionnels si souvent proposés sur le terrain : les haricots réchauffés, le porc aux haricots, les haricots sauce Chili, les ragoûts de haricots. Bref : Il y a toujours une boîte de haricots qui traîne quelque part. Et plus la boîte est grosse, mieux ça marche ! Pour commencer, faites deux trous opposés l'un à l'autre sur le côté ouvert de votre boîte (faites attention à ce que la découpe du couvercle soit bien nette) ; et nouez-y un bout de ficelle ou de fil de fer pour faire une sorte de poignée. Percez un autre petit trou au fond de la boîte. Plongez-la dans la bassine d'eau fraîche, pour la remplir. Et l'eau coule régulièrement, suffisamment longtemps pour que vous puissiez vous savonner et vous rincer. Dan, au camp, installe le pot sur un rocher plat, ou le suspend dans un arbre.

Si vous randonnez avec votre propre groupe, sans toilettes portables, vous pouvez installer au bout du camp un système de lavabo avec serviette, papier toilette et sac à déchet. Je n'insisterai jamais assez sur l'importance de bien se laver les mains pour les randonneurs, qui tendent parfois à confondre une certaine rudesse du milieu - marcher et suer au cœur des terres sauvages - avec l'ère primaire… Une bonne vieille excuse pour ne pas aller se laver pendant des jours !

Une autre précaution contre les diarrhées consiste à bien surveiller ce que l'on boit et ce que l'on mange. Conditionnez correctement vos denrées périssables, et traitez l'eau, la cuisine, la vaisselle ainsi que l'eau pour vous laver les mains. Le traitement de l'eau en milieu naturel contre les organismes infectieux est un chapitre en soi du savoir médical. Il est défini comme étant "l'élimination ou la destruction des micro-organismes dangereux" (article du Dr Howard Backer, intitulé "Le champ de la désinfection de l'eau", publié dans *Management of Wilderness and Environmental Emergencies*, 1994, Ed. Auerbach et Geehr, St-Louis, Baltimore, Toronto, C.V. Mosby). Backer explique que la désinfection de l'eau ne doit pas être confondue avec la stérilisation, qui est "l'épuration ou la destruction de toutes formes de vie". La stérilisation, ainsi, n'est pas "toujours nécessaire puisque tous les organismes ne sont pas forcément pathogènes". Le terme de "purification", très employé dans la littérature du traitement de l'eau, possède un très large champ d'interprétation. D'après Backer, cela signifie techniquement "la soustraction des substances chimiques organiques ou inorganiques et des particules, incluant les particules radioactives". Cependant, si la purification peut éliminer une coloration, un goût ou une odeur désagréable, elle ne peut pas éliminer ou tuer les micro-organismes. Pour être totalement clair, il faut toujours demander au fabricant quelle est sa définition exacte du mot "purification".

Les vecteurs de maladies qui nous intéressent se divisent en trois catégories : les organismes parasites, les bactéries et les virus. Dans la première catégorie, les kystes de la Giardia et des Cryptosporidium sont largement répandus dans la nature, et doivent être considérés comme potentiellement présents dans toutes les zones du globe. Au Canada et aux États-Unis, les bactéries problématiques ne peuvent être considérées comme endémiques, mais elles apparaissent occasionnellement, et semblent être en augmentation. Dans les autres pays du monde, et spécialement dans les pays en voie de développement, les eaux courantes, et même les eaux de robinet doivent être traitées contre les kystes de protozoaires, les bactéries, et (le plus important de tout) contre les virus.

Il existe bien des systèmes de filtration de l'eau sur le marché - certains fonctionnant par simple gravité, d'autres avec des systèmes de pompes - qui vont effectivement retenir les kystes de protozoaires. À des degrés variés, ces mêmes systèmes élimineront les bactéries. Un filtre avec des pores "absolus" de 0,3 micron retiendra Giardia et Cryptosporidium. Un filtre de 0,2 micron retiendra également toutes les bactéries ("absolu" signifiant que techniquement, aucun organisme plus gros que la taille des pores ne peut passer au travers).

Le processus de désinfection pour les virus est très différent. Un filtre avec des pores suffisamment fins pour retenir ceux-ci serait fastidieux à faire fonctionner, le pompage de l'eau devenant très difficile. Les solutions acceptables pour ce mode de désinfection emploient l'iode ou le chlore. Mais ce qui est bon pour tuer des virus ne l'est pourtant pas toujours pour éliminer les kystes de protozoaires. À l'heure où j'écris ces lignes, il existe effectivement quelques systèmes qui sont capables d'épurer l'eau de tous les pathogènes intestinaux (protozoaires, bactéries et virus) : les filtres/pompes de PUR, le General Ecology Microlite et First Need Trav-L-Pure qui utilisent des tablettes d'iode, le PentaPure Oasis, le PentaPure Water Jug, et d'après les documentations, le Pocket Travel Well et le Trekker Travel Well.

Si vous allez aux États-Unis ou au Canada, vous n'avez besoin que d'un simple filtre mécanique pour éliminer les kystes de protozoaires et les bactéries. Certains sont conçus autour de pompes à main, ou à pied, d'autres possèdent des systèmes par gravité, plus lents. Beaucoup sont équipés d'un préfiltre, qui retient les débris et les sédiments qui encrasseraient trop vite le filtre. Certains sont conçus pour s'autonettoyer par inversion du flux de pompage. Avec d'autres, vous pourrez enlever les particules en brossant la surface du filtre. Les filtres céramiques sont les plus durables et sont faciles à nettoyer. Soyez avertis des prix des filtres de remplacement, car ils nécessitent tous d'être changés un jour ou l'autre. Si vous choisissez un filtre à charbons actifs, il épurera également des éléments chimiques tels que les herbicides, les pesticides, les fiouls, les solvants et les engrais. Du côté des "moins", ces mêmes filtres à charbons doivent être changés régulièrement, qu'ils soient ou non engorgés : ces filtres collectent les éléments par absorption (les particules se "collent" dans les orifices de leur surface), lorsque la limite est atteinte, les matériaux absorbés finissent par se libérer. Toute la difficulté est bien entendu de savoir quand ces éléments se libèrent. Andreas King, le rédacteur en chef-adjoint de la revue *Waste & Water Treatment Journal*, à Londres, se déclare ainsi très sceptique sur les données des fabricants, et souligne que la plupart des tests simples réalisés montrent que ce phénomène se produit avec l'ensemble des filtres à charbon après moins de… 220 litres d'eau traités.
Il est intéressant d'acheter une unité qui soit facilement démontable et réparable loin de tout (certaines requièrent la

qualification d'un chirurgien en arthroscopie). Demandez à ce que l'on vous fasse une démonstration. Il est encore sage d'essayer la pompe avant de plonger la main dans votre portefeuille - le fonctionnement "normal" de certains modèles (à moins d'être contorsionniste, doté de membres supplémentaires ou de l'aide d'une autre personne) ne s'acquérant qu'avec un apprentissage préalable.

J'ai entendu dire que si vous souhaitiez des informations solides de la part des constructeurs, il suffisait de lire la notice et de tout diviser par 10. Obtenir de l'eau potable est une affaire sérieuse : soyez attentifs avec n'importe quel produit enrubanné de bleu ou qui ressemble à un jouet. Lisez toutes les (petites) lignes. Et posez des questions.

Vous ne pourrez pas trouver *le* filtre parfait : il n'existe pas. Aucun ne peut vous protéger à 100 %. Choisissez celui qui convient vraiment à vos habitudes et aux lieux dans lesquels vous allez l'utiliser. Êtes-vous plutôt un trekkeur lointain ou un montagnard local ? Est-ce que vous organisez les week-ends plein air de votre club philatélique, ou êtes-vous plutôt du genre chasseur solitaire éperonnant sa monture dans les pentes vertigineuses du Montana ?

Suivent ici les principales informations disponibles sur les systèmes de filtrage existant. Je me suis concentrée principalement sur les équipements répondant aux besoins des voyageurs individuels, à deux ou en petits groupes (de trois à quatre personnes). Et même si je n'ai pas de véritable formation scientifique, je me suis abstenue de présenter des systèmes dont la fiabilité me paraissait hautement suspecte. Gardez en mémoire que toutes les spécifications sont celles fournies par les fabricants eux-mêmes, et qu'aucune méthodologie standard de test n'existe. L'Agence de protection de l'environnement américaine, lorsque vous consultez sa ligne d'information sur l'eau potable (800-426-4791) vous répondra qu'ils n'ont aucun critère sur ces systèmes de purification d'eau. À l'heure actuelle, les filtres sur le marché, possédant un numéro d'enregistrement de cette agence, ont plus de chances d'être considérés comme "sans effets sur la santé" que comme réellement efficaces...

Les filtres céramiques sont parfois imprégnés de particules d'ar-

Comment chier dans les bois

gent, métal utilisé pour ses effets bactéricides ou bactériostatiques (empêchant les bactéries de se développer ultérieurement). Quel que soit le filtre, son logement doit être vérifié régulièrement, toute fêlure pouvant devenir une cause de contamination. La capacité de traitement des filtres - leur durée de vie, donnée généralement en litres - fluctue réellement vers le bas lorsque l'on filtre des eaux boueuses, ou glaciales. Ou lorsque votre appareil est partiellement bouché. Ou encore lorsque le Yeti marche avec ses grosses pattes sur le tuyau d'aspiration.

Le **Katadyn Pocket Filter** (250 $, filtre de remplacement : 150 $, poids : 640 g, débit : 0,7 l/min, taille des pores : 0,2 micron, capacité : illimitée, par Katadyn USA, Scottsdale Road, Scottsdale, AZ 85251, tél. : 800-950-0808). Pendant 40 ans, ce filtre fabriqué en Suisse a été considéré comme la *Rolls* en la matière, coûtant très cher, mais il dure très longtemps. J'ai un ami qui a poussé le jeu jusqu'à l'utiliser pendant six ans. La céramique est imprégnée d'argent, ce qui inhibe la croissance des bactéries. Ce système retient les kystes de protozoaires, et toutes les bactéries. Pour les enthousiastes d'outdoor qui font voir du pays à leur filtre chaque week-end, ce filtre a longtemps été le meilleur choix pour sa durabilité. (Les temps changent rapidement dans le secteur du traitement de l'eau, et Katadyn a désormais une solide concurrence sur le marché. Quelques filtres, moins chers, sont plus légers et plus efficaces.)

Le **Mini Katadyn** (150 $, filtre de remplacement : 70 $, poids : 220 g, débit : 0,4 l/min, taille des pores : 0,2 micron, capacité de traitement : entre 3 000 et 9 000 l) possède les mêmes filtres dans un système plus petit. La revue *Backpaker* de juin 1992, lors d'une présentation, le qualifiait du "plus facile à nettoyer des filtres existant, de ceux qui durent pour toujours". Gardez en tête la capacité de traitement du filtre, lorsque vous le comparez avec d'autres filtres mécaniques de taille équivalente.

L'**Expedition Katadyn** (725 $, filtre de remplacement : 80 $, poids : 6 kg, débit : 4,5 l/min, taille des pores : 0,2 micron, capacité de traitement : de 45 000 à 75 000 l) est le plus gros de leurs filtres à pompe, un bon choix pour les groupes constitués. Katadyn possède également des filtres à gravité : le Syphon (85 $, filtre de remplacement : 80 $, poids : 900 g, débit : 200 ml/minute, taille des pores : 0,2 micron, capacité : illimitée) et le **TRK-Dripfilter**, plus gros (250 $, filtre de remplacement : 160 $, poids : 5,5 kg, débit : 45 l/j, taille des pores : 0,2 micron, capacité illimitée). Katadyn reçoit des appels de personnes ayant utilisé le même Syphon ou TRK-Dripfilter dans la brousse pendant 10 ou 15 ans, et d'autres encore qui disent en être à la troisième génération d'utilisateur du même Pocket Filter.

MSR WaterWorks (125 $, Membrane de remplacement : 32 $, filtre charbon : 20 $, Poids : 490 g, débit : 1,1 l/min, taille des pores : 0,2 micron, fabriqué par Mountain Safety Research, P.O. Box 24547, Seattle, WA 98134, tél. : 800-877-9MSR). Il s'agit d'un système original utilisant 4 filtres. La prise d'eau du tuyau d'alimentation est équipée d'un premier filtre (de 85 microns) et d'un flotteur ajustable à différentes profondeurs, pour ne pas puiser de l'eau directement sur le fond d'une rivière. Sur ce même tuyau d'alimentation, un autre préfiltre en acier peut être nettoyé avec du peroxyde d'oxygène ou des comprimés de nettoyage de dentiers. Un filtre à charbon retient les matières organiques, et un filtre à membrane de 0,2 micron retient mécaniquement les kystes de protozoaires et les bactéries. La poignée de la pompe du MSR est une réminiscence des bonnes vieilles pompes à eau, très ergonomique pour pousser l'eau dans ce système multifiltre. Sa base reçoit des bouteilles standard, ou des réservoirs MSR, les *Dromedary*. Cette unité est connue pour sa simplicité de maintenance, et également pour sa tendance à se boucher rapidement. **MSR WaterWorks Ceramic** (140 $, membrane de remplacement : 32 $, filtre céramique de remplacement : 30 $, poids : 480 g, débit : 1,1 l/min, taille des pores : 0,2 micron). Ce nouveau modèle de 1994, fourni avec un préfiltre céramique de 0,6 micron devrait devenir très populaire. Il fonctionne de la même manière qu'un filtre à charbon actif, retenant les éléments organiques, tout en améliorant de beaucoup la capacité des filtres à ne pas se boucher. Vous avez peut-être noté que MSR ne donne pas de capacité de filtrage en litres. Cette société estime qu'il n'est pas très correct de donner des éléments "définitifs" en matière de longévité sur des domaines aux si multiples variables. Il ne s'agit pas d'une vague température de confort pour un sac de couchage, disent-ils, mais bel et bien de boire de l'eau potable. Bravo !

Relags Travel Filter (149,95 $, filtre de remplacement : 75 $, poids : 580 g, débit : 0,8 l/min, taille des pores : 0,5 micron, capacité de traitement : de 20 000 à 25 000 l, fabriqué par Relags USA Inc., 1705, 14 th Street, Suite 119, Boulder, CO 80302, tél. : 303-440-8 047). Ce filtre d'origine allemande, comparable au Katadyn, est désormais distribué aux USA. C'est un filtre céramique "longue durée", facile à nettoyer. Il n'est pas imprégné d'argent, mais peut être bouilli à la maison, pour le stériliser avant un voyage. Son boîtier est en Noryl, un matériau en résine, qui survit autant aux basses températures qu'aux chocs, sans craqueler. Le Relags débarrasse l'eau des organismes parasites et de la plupart des bactéries.

Basic Designs Ceramic Filter Pump (29,95 $, filtre de remplacement : 14,99 $, poids : 225 g, débit : 0,56 l/min, capacité de traitement jusqu'à 2 300 l. Par Basic Designs Inc., 335 A O'Hair Court, Santa Rosa, CA 95407, tél. : 707-575-1220). Il s'agit d'un filtre céramique, imprégné avec un argent bactériostatique. La prise d'eau du tuyau d'alimentation est équipée d'un préfiltre en mousse de polyuréthane (200 microns), et le tuyau de sortie possède un système pour le clipper sur votre popote ou dans le pot que vous remplissez. Cette unité retient les organismes parasites, ainsi que la plupart des bactéries. Sur la question de ce filtrage à 0,9 micron et de la possibilité pour de petites bactéries de passer au travers, j'ai discuté avec David Webb, expert en filtrage chez Royal Doulton Water Filters, le fabricant britannique des composants de Basic Designs. Pour lui, le labyrinthe tortueux dans la céramique - des millions et des millions de pores microscopiques que l'eau doit traverser avant d'atteindre votre verre - est capable de capturer des bactéries plus petites que la taille "absolue" des pores. Sur des organismes de 0,1 micron, les filtres de Basic Designs ont été testés avec 99,7 % d'efficacité. Henry Doulton (de la même famille que la Royal Doulton Bone China) a commencé à fabriquer des filtres en 1827, et a réalisé le premier filtre Doulton en céramique dès 1901. Peu après, la reine Victoria, inquiète des épidémies de choléra et des monceaux de déchets flottants sur la Tamise, décerna une Garantie Royale aux filtres Doulton (signifiant que la royauté les appréciait et les achetait !). Le **High-Flow Ceramic** (79,99 $, filtre de remplacement : 44,99 $, poids : 700 g, débit : 025 l/min, taille des pores : 0,9 micron, capacité : 4 500 l) est un système de filtrage par gravité avec un filtre céramique imprégné d'argent. Le charbon, à l'intérieur de la céramique, retient les déchets chimiques. Suspendez le réservoir près du camp, partez marcher une après-midi, et au retour, vous avez 4 litres d'eau potable. Les fabricants soulignent la simplicité d'utilisation de ce système, et la facilité de nettoyage de la cartouche avec le kit qui est fourni.

First Need Delux (59,95 $, filtre de remplacement : 28,95 $, poids : 420 g, débit : 1,1 l/min, taille des pores : 0,4 micron, capacité : 4 500 l, par General Ecology, Inc., 151 Sheree Boulevard, Exton, PA 19341, tél. : 800-441-8166).
Le Delux est le nouveau modèle de General Ecology, amélioré, avec un boîtier fixé à la pompe, bien plus évident à faire fonctionner que le terrible *Original*. Chip Umsted, le responsable marketing, explique que le filtre épais au charbon actif est aussi efficace "qu'une vitre d'un centimètre d'épaisseur pour stopper une mouche". Les kystes de protozoaires sont stoppés à l'extérieur, les bactéries emprisonnées dans les premiers millimètres, et les agents chimiques - herbicides, pesticides, TCE (trichloréthylènes) - sont collectés à l'intérieur. Umsted assure qu'il n'y a pas

de problème si des matériaux déjà captés se dégagent : la cartouche se saturera bien avant que la capacité des charbons ne soit atteinte. Un préfiltre facultatif de 10 microns et un bouchon adaptable à la plupart des gourdes de randonnée sont disponibles, pour 8,95 $ l'ensemble.

Le First Need Original (48,95 $, filtre de remplacement : 28,95 $, poids : 370 g, débit : 0,85 l/min, taille des pores : 0,4 micron, capacité de traitement : 450 l) possède la même cartouche de filtrage que le Delux. Ce modèle a été décrié par certains, car il demande bien plus de bras et de jambes pour fonctionner que ce dont sont habituellement dotés les humains à la naissance. L'utiliser avec le kit de filtre et de bouchon adaptables du Delux le rend un peu plus facile à manier.

Le **General Ecology Microlite** (29,95 $, les 2 filtres de remplacement : 9,95 $, poids : 200 g, débit : plus de 0,5 l/min, taille des pores : 0,5 micron, capacité de traitement : 70 l) est donné pour désinfecter l'eau de tous pathogènes intestinaux - même les virus - puisqu'il inclut une boîte de pastilles d'iode, Potable Aqua. Traitez d'abord l'eau avec l'iode, puis pompez-la dans le filtre pour éliminer les protozoaires et améliorer le goût. C'est le même système de filtre à charbon que celui décrit pour le Delux. Le tuyau du Microlite loge commodément sous sa poignée de transport. À sa base, un bouchon de 7,5 centimètres de diamètre abrite un système où vous pouvez directement visser la plupart des gourdes à grand goulot, mais encore les bidons de vélo et les bouteilles classiques.

Le **First Need Trav-L-Pure** (119,95 $, filtre de remplacement : 29,95 $, poids : 610 g, débit : 0,8 l/min, taille des pores : 0,4 micron, capacité : 450 l) est une petite boîte noire, sans tuyau, désigné par ses constructeurs comme le "filtre civilisé" par excellence, puisque vous pouvez le poser à même la table dans un restaurant douteux : il traitera toute l'eau que l'on veut bien vous servir. Le Trav-L-Pure possède le même filtre que les autres systèmes de chez First Need. Comme le Microlite, il est livré avec des pastilles d'iode Potable Aqua. Son réservoir incorporé (12 l de capacité) accepte de l'eau du robinet, ou vous pouvez encore noyer l'ensemble sous l'eau pour le remplir. Mettez une pastille dans le réservoir, puis pompez : deux préfiltres intégrés (10 et 5 microns) accroissent la durée de vie de la cartouche.

First Need Base Camp (449,95 $, filtre de remplacement : 59,95 $, poids : 2 kg, débit : 4,5 l/min, taille des pores : 0,4 micron, capacité : 2 200 l). Son nom est un programme en soi. Une fois encore, c'est le même système de cartouche pour le filtre. Un préfiltre de 10 microns est inclus.

Comment chier dans les bois

SweetWater Gardian (49,95 $, filtre de rechange : 19,95 $, poids : 5,5 kg, débit : 1,1 l/min, taille des pores : 0,2 micron, capacité : 900 l. Par SweetWater, Inc., 4725 Nautilus Court South, Suite #3, Boulder, CO 80301, tél. : 800-55SWEET). Si vous faites un saut dans le magasin de sport de Missoula, dans le Montana, et que vous parlez de ce modèle à Clara McClane, vous verrez qu'elle est vraiment enamourée de cette nouveauté. Elle vous fera d'abord valoir son prix. Puis elle vous montrera l'ingénieux design du préfiltre - un peu comme une pipe surmontée d'un filtre 100 microns - lesté, ce qui le rend submersible directement dans le courant, sans avaler de limons. Vous commencez à feuilleter la brochure qu'elle vous a glissée, et vous demandez à voir l'autre préfiltre - de 4 microns, en option - appelé le *Silt Stopper* (7,95 $). Mais Clara vous a déjà mis en main le système, insistant poliment pour que vous actionniez la poignée de la pompe. Elle vénère ce système qui ne condamne personne à être né avec trois bras pour le faire fonctionner. "Et regardez ça", dira-t-elle, en tenant le bout du tuyau de sortie. Vous découvrez une série d'embouts emboîtés les uns dans les autres, destinés à s'adapter à bien des goulots différents de gourdes et de bouteilles. Puis vient le côté poids-plume de l'ensemble qu'elle fait gentiment sauter dans ses mains. Et la facilité de démontage pour la maintenance. Demandez-lui de quoi il retourne en termes de propriétés d'épuration, et Clara vous expliquera que les filtres épais aux charbons actifs se chargent de retirer les kystes de protozoaires, les bactéries et les éléments chimiques. Enfin, Clara vous convaincra qu'il n'est pas idiot d'utiliser une cartouche de filtre recyclable, et vous montrera même l'enveloppe-retour que SweetWater offre à chaque acheteur (retourner votre filtre usagé vous fait économiser 2 $ sur l'achat d'un filtre de rechange). Je suis sortie du magasin avec ce filtre sous le bras. Soit parce que SweetWater est un très bon filtre, soit parce que ma grand-mère s'appelait - elle aussi - Clara.

Timberline (24,95 $, filtre de remplacement : 12,95 $, poids : 170 g, débit : 1 l/min, taille des pores : 2,0 microns, capacité de traitement : 225 l. De Timberline Filter, P.O. Box 3435, Boulder, CO 80307, tél. : 303-440-8779). Il existe des gens qui continuent de ne jurer que par ce filtre si simple et économique - une matrice de fibre de verre et polyéthylène capable de retirer de l'eau des hippopotames, des branches d'arbres et des kystes de protozoaires. Si vos excursions dans les bois sont épisodiques, et si vous ne fréquentez pas les régions où les bactéries peuvent être présentes, c'est un filtre qui va facilement tenir dans votre poche. Au Canada, Timberline est distribué sous le nom de **Coghlan** (Coghlan's Ltd., Winnipeg, Manitoba, R3T 4C7 Canada, tél. : 204-284-9550). Timberline est vendu dans bien des magasins et dans le catalogue *Campmor*.

Le **Timberline Base Camp** (50 $, filtre de rechange : 20 $, poids : 5,5 kg, débit : 1,1 l/min, taille des pores : 2,0 microns, capacité de traitement : 225 l) est un réservoir filtrant par gravité de 9 litres, à débit rapide. Le filtre est le même que le modèle avec pompe, juste plus gros.

Si vous voyagez dans des pays en voie de développement où le niveau sanitaire et l'eau courante des hôtels sont douteux, vous aurez besoin d'une autre protection contre les virus. La plus vieille des méthodes pour s'en débarrasser est de faire **bouillir** l'eau. Contrairement aux idées reçues, on sait aujourd'hui que bouillir l'eau élimine tous les pathogènes intestinaux et ce dès l'ébullition. C'est l'un des points importants de l'article mentionné plus haut, *Le champ de la désinfection de l'eau* du Dr Howard Backer. Il rappelle que n'importe quelle eau est correctement désinfectée dès qu'elle atteint son point d'ébullition, et cela même à l'altitude de 8 000 mètres, où ce point d'ébullition descend pourtant à 74,5°. Le principal problème, si l'on se fie uniquement à cette méthode de désinfection par ébullition, est de transporter assez de carburant pour accomplir cette tâche.

Les désinfectants chimiques, le **chlore** et l'**iode** (appelés allogènes) permettent également d'éliminer les virus. Le chlore a longtemps été le désinfectant préféré des régies municipales, et l'iode a été utilisé par les militaires depuis le début du XXe siècle. Même si ces allogènes fonctionnent bien contre les virus et les bactéries, les organismes parasites leur résistent. Le Cryptosporidium, en particulier, est très résistant à la chlorite. Quel que soit le désinfectant utilisé pour tuer les bactéries et les virus, il faut ainsi prendre la précaution supplémentaire de filtrer l'eau de ces parasites.

Le randonneur moyen est souvent hésitant face à l'offre disponible sur ces produits. On trouve des comprimés de chlore, des produits liquides, des cristaux d'iode, de la teinture d'iode, ou encore des comprimés d'iode. Il y a quelques éléments à éclaircir sur ces différents produits. La fiabilité dans le temps des comprimés est sujette à caution. Achetez toujours un nouveau flacon avant chaque voyage, et tenez-le bien fermé, à l'abri de la chaleur. Vous devez faire attention aux effets corrosifs de ces allogènes, en particulier lors de la manipulation des cristaux d'iode. Ces produits ne traitent pas correctement l'eau lorsqu'ils sont insuffisamment dosés, ou lorsqu'ils n'ont pas le temps nécessaire pour agir. Les pH élevés, l'eau à basse température et les eaux troubles sont autant d'inhibiteurs de l'action de ces désinfectants, et il est même possible, dans certains cas, que différents contaminants, organiques ou pas, se combinent avec eux, et rendent insuffisante la concentration prescrite.

Au final, lorsque vous avez très brillamment désinfecté votre eau, il vous reste un très bon goût chimique. Vous pouvez l'atténuer par différents moyens. Lorsque vous traitez de l'eau trouble, préfiltrez-la avec un filtre à café ou un tissu, ou laissez-la dans un récipient pour la nuit. Le besoin en désinfectant est réduit si vous utilisez de l'eau préfiltrée, réchauffée, ou lorsque vous laissez agir les produits plus longtemps. Moins de produit signifie un meilleur goût. Certaines personnes s'adaptent sans problème au goût de l'eau iodée (je me demande toujours s'ils ne souffrent pas d'une absence de papilles gustatives). Ils aiment aussi masquer ces goûts chimiques en diluant dans l'eau traitée du Tang ou des sirops. Moi, je n'aime pas ça. Et c'est bien là qu'un filtre à charbon vaut trois fois son poids dans le sac ! Le système filtre/pompe PUR sont une excellente solution lorsque vous recherchez une protection contre les virus. Mécaniquement, ils filtrent les organismes parasites, chimiquement, ils éliminent les bactéries et les virus, et si vous y ajoutez le travail du filtre additionnel à charbon, ils produisent même une eau satisfaisante en goût même pour les palais exigeant ! Hourra !
Quelques indications médicales doivent être observées lorsque vous utilisez de l'iode : si vous êtes enceinte, ou si vous êtes sensible à l'iode, ou encore si vous souffrez d'affections de la thyroïde, évitez ce produit. L'iode fausse, notamment, les résultats des analyses thyroïdiennes.
Les produits qui suivent sont tous capables d'annihiler les virus.

Polar Pure (de 8,95 $ à 12,50 $, capacité de traiter 2 200 litres, par Polar Equipment, 12881 Foothill Lane, Saratoga, CA 95070, tél. : 408-867-4676) est une petite bouteille de cristaux d'iode. Une échelle de graduation sur le côté du flacon vous explique quels doivent être les différents dosages. Une notice vous informe que l'iode n'est pas une odeur que vous percevez par votre langue mais par votre nez. Essayez donc de le boucher la prochaine fois que vous serez à court de boissons instantanées ! Polar Pure est stable dans le temps, et ne se détériore pas sous l'effet de l'air.

Potable Aqua (De 3,95 $ à 5,95 $, capacité de traitement : 55 l, par Wisconsin Pharmacal Co., Inc., One Repel Road, Jackson, WI 53037, tél. : 414-677-4121) est une bouteille de 50 comprimés d'iode. Une pastille traite un quart de litre d'eau en trois minutes. Si l'eau est turpide ou excessivement froide, il faut deux comprimés, pendant 20 minutes. Prenez votre loupe pour lire les instructions. **Potable Aqua Plus** (50 pastilles) est un produit masquant l'odeur d'iode, nécessitant une opération en deux temps avec les comprimés de Potable Aqua : il rend sans odeur et sans saveur l'iode. L'élément actif de ce produit est l'acide ascorbique, c'est-à-dire la vitamine C. Vendu en lot entre 6,95 $ et 8,95$.

PUR Scout (64,95 $, filtre de rechange : 34,95 $, poids : 330 g, débit : 1,1 l/min, taille des pores : 1,0 micron, capacité de traitement : 900 l. Par PUR, 2 229 Edgewood Avenue S., Minneapolis MN 55426, tél. : 800-845-PURE). Les modèles Scout, Explorer et Traveller de chez PUR sont les seuls systèmes filtre/pompe à coupler un dispositif mécanique de filtrage et une matrice en résine imprégnée d'iode, qui assurent effectivement une absence de tous pathogènes intestinaux. Pour améliorer le goût, les modèles Scout et Explorer peuvent être équipés d'un filtre à charbon (19,95 $, 80 g) vissé sur la sortie d'eau. Pour ces deux mêmes modèles, un bouchon adaptateur (8,95 $) permet d'y visser la plupart des bouteilles plastiques. Aucun traitement n'est nécessaire avant stockage ou réutilisation.

PUR Explorer (139,95 $, filtre de remplacement 44,95 $, poids : 550 g, débit : 1,1 l/min, taille des pores : 1,0 micron, capacité de traitement jusqu'à 2 300 l). C'est la même version que le Scout mais en plus gros, à l'exception d'un élément : l'Explorer possède une brosse autonettoyante. Elle s'installe dans la pompe, sous la poignée, d'un quart de tour, et il n'y a plus qu'à pomper quelques coups.

PUR Traveler (69,95 $, filtre de remplacement : 29,95 $, poids : 330 g, débit : 1,9 l à chaque pompage, taille des pores : 1,0 micron, capacité : 450 l). Le Traveler est également conçu pour vous débarrasser de tous pathogènes intestinaux, et convient, par exemple, à des voyageurs en hôtel qui ne sont pas sûrs de la qualité de l'eau. L'unité est petite, produisant très vite le verre d'eau traitée nécessaire pour vous brosser les dents ou avaler vos médicaments.

Le nouveau **PUR Hiker** (44,95 $, filtre de remplacement 24,95 $, poids : 320 g, débit : 4,5 l/min, taille des pores : 0,5 micron, capacité de traitement : 900 l) est un peu différent des autres produits de cette marque : il n'intègre pas de matrice traitée à l'iode, et ne débarrasse donc pas l'eau des éventuels virus. Il possède un filtre en fibre de verre dont le fabricant assure qu'il a plus de surface pour piéger les particules que bien des filtres céramique ou charbon. Et encore mieux, il est garanti un an sans encrassement du filtre.

Pocket Travel Well (29,50 $, pas de filtre de rechange, poids : 60 g, débit : 0,14 l/min, taille des pores non communiquée, capacité : 11 l, De Outbound, 1580 Zephyr, Hayward, CA 94544, tél. : 800-866-9880). C'est un tout petit filtre à deux étages (12,5 x 8 cm) avec un revêtement charbon et une matrice en résine traitée à l'iode. D'après Ray Higham, le directeur de Pre-Mac Ltd. (Kent), le fabricant anglais de Travel Well, les tests ont été réalisés par de solides institutions : l'université du Zimbabwe, la London School for Hygiene and Tropical Medicine, le British Royal Air Force Institute of Pathology and Tropical Medicine, et Thames Water (spécialistes des tests sur les virus). Les résultats des tests ont montré que le revêtement charbon bloquait 90 % des organismes parasites. L'iode tue 99,90 $ des protozoaires, 99,99 % des bactéries et 99,99 % des virus. Le Pocket Travel Well est à peine de la taille d'un tube de dentifrice, mais bien plus léger - un système idéal, semble-t-il, pour les parapentistes perdus ou les ultramarathoniens. Les deux modèles de Travel Well sont utilisés par les forces armées britanniques et les observateurs de l'ONU au Mozambique et au Cambodge. Leurs réceptacles sont en plastique dur, dont la notice indique qu'il est moins sujet aux fissures que les filtres céramique, et moins sujet à l'encrassement que les systèmes de filtres à pores plus petits. Les deux sont livrés avec un tuyau d'alimentation, un petit tuyau de sortie, et un gros préfiltre pour les débris. Le traitement du charbon intervenant avant l'action de l'iode, l'eau conservera un goût d'iode. Le **Trekker Travel Well** (59 $, filtre de remplacement 32 $, poids : 150 g, débit : 250 ml/min, taille des pores : non communiquée, capacité : 225 l) est une version plus grosse (14 x 4,5 cm) du Pocket.

PentaPure Travel Cup (15,80 $, pas de filtre de remplacement, poids : 110 g, débit : 0,5 l/min, taille des pores : non communiquée, capacité : 450 l. Par WTC Industries, Inc., 14405 21 [st] Ave. N., Minneapolis, MN 55447, tél. : 800-637-1244). Cette compagnie fournit les produits PentaPure aux Peace Corps, ainsi qu'aux personnels des ambassades américaines de par le monde. L'élément iodé du système fonctionne avec la même technologie demande/réponse que celle utilisée sur la navette spatiale. Le directeur des ventes, Ron Moore, revendique une action des résines iodées 100 000 fois supérieure à celle de l'iode simple. La Travel Cup fonctionne par gravité, et a été conçue pour être jetée après le traitement de 450 litres d'eau. Vous pouvez traiter une tasse à la fois, ou alimenter directement un récipient.

Le **PentaPure Oasis** (32 $, filtre mécanique de remplacement : 8,50 $, filtre iodé de remplacement : 12 $, taille des pores : 2,0 microns, poids : 140 g, capacité : 900 l) est un nouveau modèle chez WTC, une gourde souple d'une capacité de 11 litres, dotée d'un filtre trois étages. Un bouchon poreux de 2,0 microns retient les kystes de protozoaires. La résine iodée détruit les bactéries et les virus, tandis que le filtre à charbon enlève les éléments chimiques, tout en améliorant le goût de l'eau.

PentaPure Water Jug (33 $, même filtre que l'Oasis, poids : 560 g, débit : 1,1 l/min, taille des pores : 2,0 microns, capacité : 900 l). La Water Jug est un système de container compressible, type accordéon, qui est équipé de la même cartouche de filtrage à trois niveaux que l'Oasis. Il contient 4,5 litres pliés, 9 litres à plein. Posez-le sur votre table de pique-nique, ouvrez le robinet. Il remplit votre tasse de café.

PentaPure Bucket (175 $, filtre de remplacement : 75$, poids : 180 g, débit : 45 litres/heure, taille des pores : 5,0 microns, capacité : 4 500 l). Ce modèle de 22 litres de contenance fonctionne par gravité, avec un réservoir supérieur de 11 litres, qui est à remplir deux fois pour obtenir un bidon plein. La cartouche de filtre est à deux étages, avec un filtre de résine iodée et un autre à charbon. Un préfiltre retire les sédiments jusqu'à 30 microns. Les fabricants indiquent que ce modèle est très utilisé sur les chantiers de construction et dans les camps de mineurs.

Le **Sanitizer** (13 $, à commander par courrier ou fax à Travel and Trail Custom Products, 1430 Willamette, Suite 237, Eugene, OR 97401, fax : 503-485-4529) était auparavant commercialisé sous le nom de Sierra Water Purifier. C'est un système fonctionnant en deux temps. Vous commencez par super-chlorer l'eau. Puis vous ajoutez du peroxyde d'hydrogène, qui se combine avec le chlore pour redonner à nouveau, de l'eau, plus quelques sels inoffensifs. Deux petites bouteilles sont capables de traiter 720 litres d'eau, pour un poids et un volume très raisonnables, sans parler du prix. Et l'eau traitée a le goût de l'eau ! De plus, ces produits désinfectent de grandes quantités d'eau très rapidement, quantités qui peuvent être stockées au stade du chlore jusqu'à ce que l'on ait besoin de l'utiliser. Les chlores ne présentent pas les mêmes problèmes de santé éventuels que l'iode. J'ai recommandé fortement ce produit lors de la première édition, et je persiste, avec une seule réserve : les kystes de Cryptosporidium sont très largement résistants à toute forme de chlore. Avant d'en savoir plus sur des procédés efficaces de super-chloration, utilisez un préfiltrage mécanique pour éliminer les organismes parasites. Gardez en tête que le chlore a plus de mal à faire son job correctement dans des eaux troubles ou froides.

Dans les années soixante, j'ai souvent pris des vacances au Mexique. Je me souviens d'y avoir beaucoup promené mon flacon de petits comprimés de Lomotil sur ordonnance. À l'époque, le Lomotil résumait tout ce que pouvait prescrire la génération des médecins d'alors. Aujourd'hui, vous pouvez vous procurer de l'Immodium partout sans ordonnance, et la médecine de voyage (ou de médecine tropicale en France, ndt) est devenue une spécialité hospitalière à part entière, appelée l'*emporiatrie*. Un réseau de cliniques du voyage s'est constitué dans le pays, offrant des tableaux d'information, fournissant toutes les vaccinations imaginables, conseillant sur les médicaments prophylactiques appropriés et diagnostiquant bien des maladies de l'après-voyage (nombre de gens sont déjà de retour lorsque les premiers symptômes de la Giardia font leur apparition).

Les médicaments prophylactiques pour les cas de Turista peu marqués ne sont pas les meilleurs amis du voyageur en bonne santé, car ils peuvent masquer le diagnostic et le traitement ultérieur d'une affection plus sérieuse. L'exception à ce conseil est le Pepto-Bismol, qui est recommandé à la fois comme médicament préventif et de traitement. Consultez votre médecin avant de partir à l'étranger sur l'utilisation de ce médicament. Si les diarrhées vous touchent, il est très important de conserver un bon niveau d'hydratation. Être incapable de le maintenir est considéré comme relevant de l'urgence médicale. L'hydratation peut généralement se réaliser par voie orale (tant que vous ne vomissez pas) en buvant des quantités alternées de 200 millilitres de jus de pomme, d'orange ou de n'importe quel fruit riche en potassium, auquel vous aurez mélangé une demie petite cuillère de miel ou de sucre, avec une pincée de sel et 1/4 de petite cuillère de poudre à soda.

Se laver les mains et désinfecter l'eau sont les règles de base, mais il existe encore quelques tactiques de prévention assez simples à suivre. Dans les pays en voie de développement, il est possible (d'essayer...) d'éviter les légumes "grandis au sol", et spécialement tous les légumes à feuilles vertes, qui peuvent avoir été contaminés par la terre, l'eau du nettoyage, ou des mains sales. Souvenez-vous du vieil adage : si vous ne pouvez pas le bouillir, ou le cuisiner, ou le peler, laissez tomber ! Et n'avalez pas votre casse-croûte de midi avec vos mains sales. Je suis la première à aimer voyager en bus de dernière classe, mettant mes mains partout sur les accoudoirs, les dossiers de siège, le bord des fenêtres, puis à me faire une petite peur en achetant quelque chose à un vendeur de rue lors d'un arrêt - le plaisir de tout cela consistant à essayer de manger avec les doigts... pour un risque qui n'est pas si minime !

En appliquant tout ce qui précède, vous pourrez éviter, dans la plupart des cas, les effets des diarrhées du voyageur... du moins tant que vous ne jaillirez pas de la jungle vers le premier café du bord de piste venu, pour commander une bouteille pleine de bulles et vous la servir dans un verre plein de glaçons contaminés !

ndt : plutôt que de reprendre ici la liste des ouvrages, publications et sites ressources utiles aux lecteurs américains (et donc en anglais) sur les questions d'eau, de vaccination, de médications du voyage, etc., nous nous permettons de conseiller à tout voyageur soucieux de partir dans les meilleures conditions possibles de consulter les services hospitaliers de Médecine tropicale ou de Médecine du voyage en place dans la plupart des centres hospitaliers en France. Certains médecins généralistes sont également très au fait de ces questions de médecine du voyage.

Comment chier dans les bois

Chapitre VI

Pour les femmes seulement :

Comment ne pas se pisser sur Les chaussures.

La compréhension de ma position fut, pour moi,
la base de ma maturité.
Valérie Fons, *Keep In Moving*

Un chapitre pour les femmes ? Pourquoi pas. J'ai moi-même été une femme toute ma vie, comme en témoignent bien des paires de chaussettes moisies, de Sneakers périmés et de chaussures en cuir usées. Les hommes n'ont pas besoin d'une leçon pour qu'on leur apprenne comment pisser. Un homme peut pisser, puis maintenir l'agencement parfait de son costume trois pièces, tout en déambulant tranquillement sur les

Champs-Élysées. Pour siffloter un peu, il leur faut juste un arbre. Pas pour se cacher, merci, mais pour se pencher légèrement en réfléchissant au cours de l'univers - une main posée haut sur le tronc, l'autre dirigeant la manœuvre. Avec le dos tourné, mais au vu de tout le monde, l'homme pisse devant n'importe qui, parfois même avec superbe (devant un fabuleux coucher de soleil), parfois sans même interrompre la conversation, comme si la dimension ostentatoire de son rituel était presque la meilleure part du plaisir qu'il lui procure. Les femmes, de toute autre manière, recherchent un endroit où se cacher (Dieu, qui pardonne tout le monde, devrait pourtant bien savoir que nous avons toujours besoin de faire pipi là, tout de suite !) avec leur culotte baissée et leur tendre postérieur mis à nu, tenues d'assumer la même position que celle d'une canne affolée essayant de se regarder en train de pondre un œuf. Il est possible que Freud mérite ici plus d'intérêt que celui dont je le gratifie d'habitude. Même si je ne me souviens pas de mon complexe d'Œdipe enfant, à l'âge adulte il m'est arrivé en diverses occasions, et surtout face à certaines urgences, de m'être confrontée à quelques belles envies d'avoir - moi aussi - un pénis. Mais haut les cœurs, mes chères, le reste de ce chapitre est entièrement pour nous. Avec un peu d'entraînement, nous pouvons aussi cultiver le comble du "blasé", fières d'avoir affronté et gagné cette épreuve, celle du travail bien fait. (Et ne plus résumer cette simple et précieuse opération à un reste d'héritage purement génétique !)

Il est ainsi écrit que lorsque les hommes pissent, c'est dans la dignité. On pourrait même dire avec une certaine classe - quand ce n'est pas tout simplement du machisme. Ils restent, en tout cas, à l'aise. Sauf lorsqu'ils sont perturbés par des conditions difficiles (si bien suggérées dans le vieux proverbe : "Il ne faut pas pisser contre le vent"), les hommes resteront bien d'insouciants pisseurs. Il est grand temps pour les femmes d'accéder à tout ça. Avec la même fierté. Et le même plaisir.

Si j'avais été plus attentive dans mon enfance, disons dans les années quarante et cinquante, ma grand-mère aurait très bien pu être mon mentor en la matière. Il ne me reste aujourd'hui que de vagues souvenirs lorsque je l'accompagnais dans des

Comment chier dans les bois

toilettes publiques ; retenant ses jupes, elle glissait l'une de ses jambes hors de ses larges sous-vêtements, les enroulant serrés autour de son autre jambe à la mode matador, puis avec le même souffle qu'un cheval aux rênes trop serrées, elle s'agenouillait dans un demi-tour juste au-dessus de la lunette et y allait ! À cette époque, je n'avais pas le temps de m'occuper de cette vieille mode un peu bizarre : j'étais trop occupée à positionner les feuilles de papier sur le pourtour du siège (comme ma maman me l'avait appris), la moitié d'entre elles finissant invariablement sur le sol, poussées par le léger appel d'air que je générais en me retournant pour m'asseoir. En découvrant encore que l'on pouvait bien souvent mouiller son pantalon avant même d'achever correctement cette "préparation", je finis par abandonner et par m'asseoir. Tout simplement.

Ainsi, ma théorie (peu éclairée mais expéditive) fut de me dire qu'au fond, si tout le monde se pliait à cette ridicule routine des feuilles de papier, le siège devait être absolument vierge de toutes ces incroyables maladies effrayantes qu'il me fallait éviter - maladies jamais expliquées, tout juste mystérieusement évoquées.

Jusqu'à aujourd'hui, sauf dans les w.-c. équipés de papier disposé automatiquement sur les lunettes (ou dans les w.-c. à la turque) j'ai encore besoin d'affiner une technique totalement fiable. Parfois, j'essaie de m'appuyer contre le mur du fond, le container de papier, ou le réservoir des toilettes, voire même d'agripper la poignée de la porte (s'il y en a une) dans un effort intense pour suspendre mes fesses 5 centimètres au-dessus du siège. À ce propos, cela me rappelle deux histoires. Celle d'une amie qui ne rentrait ni ne sortait du petit coin qu'en marchant sur des Kleenex, les jetant sous la chasse des toilettes publiques avec dégoût, plutôt que de risquer tout contact avec ce monde particulier… L'autre, un homme, qui avait fini par chorégraphier toute une gestuelle très élaborée pour s'échapper des toilettes sans avoir à toucher quoi que ce soit. Chemine alors en moi, lorsque je suis assise sur ces papiers plus ou moins bien disposés, la hideuse question : si le pipi de la dernière personne à être passée avant moi peut imbiber ce mince bouclier, quoi d'autre encore pourrait bien s'y trouver ? Oh, où es-tu donc maintenant, ma grand-mère aux amples sous-vêtements ?

Par chance, dans la nature, nous n'avons à affronter aucun de ces problèmes de civilisation. Donnez-moi mon pipi quotidien dans les bois. Tous les jours ! Une fois que vous avez saisi le coup, cela devient une expérience vraiment divine. À tel point qu'après une longue virée dans la nature, je me sens sévèrement déprimée en retrouvant l'ambiance froide, blanchâtre et confinée de mes toilettes, seule avec ma chasse d'eau.

Dans les pays du tiers-monde, une autre technique pour pisser debout (dépassant de loin le savoir de ma grand-mère), est pratiquée par des femmes qui n'ont pas grandi empêtrées de couches de sous-vêtements. Le secret réside quelque part entre l'inclinaison du bassin et le jeu des fémurs, et il permet de pisser avec une précision olympique. Tout ceci est rendu simple grâce à un entraînement ancré dans l'enfance et grâce aussi à la coupe des robes locales.

De nos jours, les femmes pensent que ces robes, ou ces jupes, sont peu fonctionnelles dans les bois. Le fait que les hommes semblent destinés aux pantalons et les femmes aux jupes doit bien moins, selon toute probabilité, aux exigences de la haute couture qu'à un partage équitable d'une certaine "faisabilité" biologique.

Si vous en éprouvez le désir, n'hésitez pas à sillonner la grande nature avec une jupe longue ou un sarong comme l'a fait Robyn Davidson, l'auteur de *Tracks* (New York, Pantheon Books, 1980) pendant sa traversée du désert australien avec ses chameaux. "Quoi que ce soit qui marche" est une bonne philosophie. Et lorsque nous passons sur le chemin, je sais reconnaître et accepter les esprits indépendants et novateurs. Qui peut savoir ? Un jour peut-être, nos inhibitions à dévoiler nos derrières disparaîtront dans un tourbillon révolutionnaire (comparable a celui du "Bannissons les soutiens-gorge"), nous ramenant dans un cercle parfait à la réhabilitation des mini-strings en peau de léopard au nom de bonnes raisons pratiques. J'ai toujours pensé que quelqu'un pourrait faire fortune en dessinant des sous-vêtements confortables pour femmes avec les fermetures Velcro. L'évolution que nous attendions toutes est enfin arrivée : conceptrice de vêtements fonctionnels, Vicki

Morgan entrera certainement dans l'histoire avec sa marque **Zanica Sportswear** (Outside Interests, Inc., 4315 Oliver Avenue North, Minneapolis, MN 55912, tél. : 612-521-1429). Avec tous ces modèles ouvrant devant-derrière, les réalisations de Morgan conviennent à toutes les femmes qui bougent - randonneuse ou skieuse, coureuse ou cycliste, navigatrice ou fermière, marin pêcheur ou cow-girl. Avec ses empiècements ouvrant sur le derrière et ses systèmes de fermetures "devant-derrière", elle va bien plus loin que tout ce qui était pensable en matière de sportswear féminin. Je me souviens avoir fait de simples courses à la boulangerie où j'aurais été bien avisée d'utiliser ces sous-vêtements. Bikinis courts, shorts, sous-vêtements Lycra, pantalons coupe-vent et autres fourrures polaires, Zanica convient aux femmes qui pissent. J'aime assez, d'ailleurs, leur slogan : "Ne soyez jamais attrapées avec votre pantalon baissé !"

Il est aussi possible de maîtriser la technique du pisser-debout avec un short large - en tirant le tissu du derrière d'un côté. Une de mes amies fait ça agenouillée, mais une autre femme peut ajuster son short de cette manière et pisser debout au bord de la route. Si vous passez devant en voiture, et que vous ne voyez pas son jet, vous pouvez tout à fait penser qu'elle est en train de s'étirer un peu les jambes en profitant de la vue. S'entraîner, là est le secret, disent-elles. Je vais donc aller m'entraîner.

Pour l'heure, en revenant au port des shorts, jeans et autres petites culottes, la méthode pour faire pipi se limite à s'asseoir ou s'agenouiller. S'agenouiller n'a jamais été mon truc favori : le liquide finit toujours par couler partout, submergeant tout dans un rayon d'un bon mètre. En plus, j'ai un mauvais sens de l'équilibre. Avec tous mes muscles tendus de concentration, mes chances de relâcher ceux dont j'ai vraiment besoin pour réaliser ma tâche (sans trébucher par terre), sont à peu près du même ordre qu'avec une machine à sous : le Jackpot ne tombe pas à tous les coups, loin de là !

Petit à petit, je me suis aperçue, après des années de conditionnement, que je ne pouvais pas pisser sans être relâchée, et que je ne pouvais pas me relaxer si je ne pouvais pas m'asseoir.

En éliminant ainsi l'idée de s'agenouiller, mes expériences se sont réduites à des approches variées de la dernière position possible : s'asseoir. Lors de mes premiers essais, je me suis assise sur des petits rochers. On en revient encore aux effets de ruisseaux et d'inondations décrits, à la seule différence près que ce sont les cuisses qui risquent d'être mouillées plutôt que les chevilles.

Puis vint une série d'essais plus directement "près du sol", basés sur quelques notions de physique issues du collège, qui, pour autant que je m'en souvienne encore, indiquaient que la vélocité diminuait avec la proximité. Ce contact direct avec la terre fut tout autant pour moi de l'ordre d'une révélation primordiale avec la nature que du désastre avéré. Soit je finissais assise dans la flaque. Soit, en essayant de me pencher légèrement vers l'avant pour l'éviter, je me retrouvais alors devant le même problème que posent les laves du volcan Kilauea aux vulcanologues : jusqu'où et dans quelle direction ce truc fumant allait-il finir par couler ? Généralement assez loin pour bien humecter mon jean baissé sur mes chevilles. Ensuite, feuilles, brindilles et cailloux - ayant tous déjà tendance à se coller dans mes cheveux - se logeaient d'eux-mêmes dans mes sous-vêtements, finissant alors dans des endroits bien plus critiques que mon chignon.

Quelques jours supplémentaires d'essais/erreurs ternirent aussi l'éclat d'une nouvelle théorie : s'asseoir sur des objets haut perchés. Cela ne fait tout simplement qu'encourager les routes directes vers ou dans les chaussures. Mais je ne me décourageais pas, ma liberté acquise sur de hauts murs (d'où il ne valait mieux pas choir !) supplantant la tentation du retour vers les surfaces lisses et polies des toilettes portables. Je me mis alors à la recherche de surfaces plus douces...

Et finalement, nous y voilà ! Pour celles d'entre nous aux muscles atrophiés (une mutation qui, d'après moi, a beaucoup à voir avec l'invention des toilettes actuelles) ; pour celles d'entre nous qui n'ont pas grandi à la ferme ou qui ne sont pas allées pêcher avec grand-papa ; et pour toutes celles enfin qui souhaitent pisser dans les bois avec un niveau de plaisir comparable à la dégustation d'un sublime fondant au chocolat, voici le secret pour ne pas pisser dans vos chaussures.

Un : quittez les abords du camp suffisamment à temps, pour

avoir loisir de repérer une vue bucolique. Deux : allez assez loin dans la brousse pour que votre urètre ne se resserre pas d'un coup à la simple idée de pouvoir "être vue". Rappelez-vous bien de ça : le Vouloir - la seule ressource mentale disponible dans ces occasions - n'offre une réponse apaisante sur le sujet qui nous préoccupe que lorsqu'il sait qu'il est invisible ! Maintenant, cherchez un coin avec deux rochers, ou deux souches, ou une souche près d'un rocher. Baissez votre pantalon sur vos chevilles, et adossez-vous au bord du bloc. Puis posez vos pieds - en les surélevant au-dessus du sol - sur l'autre rocher. Et voilà : vous êtes assise, tranquillement, hors de portée de toutes douches intempestives, et loin des feuilles qui se collent partout. Une colline pentue, le bord d'un bloc ou encore un tronc d'arbre peuvent aussi très bien servir de "deuxième rocher". Si vous êtes un peu à l'aise en escalade, vous pouvez aussi vous coincer dans un passage étroit entre deux blocs ou dans une falaise (ce que les grimpeurs appellent une cheminée) avec votre dos à plat d'un côté, vos genoux légèrement fléchis et vos pieds appuyant de l'autre côté. Dans les déserts, là où il n'y a ni rochers ni souches, vous pouvez encore vous asseoir. Pissez assise sur votre sac à dos ou votre sac de duvet : dans le sable, il n'y aura aucune éclaboussure !

Encore mieux, si vous souhaitez ostensiblement vous démarquer : "Ce n'est pas un problème pour une femme comme moi, je suis née dedans, dénichez un coin avec deux rochers derrière un bloc ou un buisson (à hauteur des hanches), d'où vous pouvez très naturellement, toute dignité intacte, continuer à entretenir votre conversation avec le reste du camp. Bon, c'est vrai : pas forcément dès le premier essai, mais soyez patiente. La combinaison des mots *pisser, femme et dignité* demande à ce que l'on prenne un peu de temps pour s'y habituer - pas seulement pour vous, d'ailleurs, mais aussi pour le reste de votre entourage. Soyez courageuse. Et faites comme si, au départ. Prenez-le nonchalamment. Exercez-vous. Apprenez. Soyez persévérante. Et finalement, le monde changera. Mais surtout, (*surtout !*) lorsque vous fixerez l'étendue magnifique des sommets perdus sous les brumes dans un état parfait de paix et de satisfaction, vous aurez les pieds au sec.

L'autre impératif pour les femmes randonnant longtemps loin de tout consiste à étudier une approche discrète et écologique de leurs problèmes de règles. Vous ne vous sentirez peut-être jamais aussi détachée sur cette question qu'une randonneuse que j'ai pu observer un jour, penchée sur un feu de camp, en train de préparer un petit-déjeuner pour vingt personnes. À son oreille, coincée comme un crayon dans ses boucles blondes, elle portait son tampon, attendant juste un moment de calme pour s'éclipser. Pour la plupart d'entre nous, femmes urbaines du XXe siècle voyageant en compagnie d'autres personnes (mais aussi pour celles qui ne veulent laisser à personne la possibilité de nous attribuer une quelconque timidité due à nos règles), voici le plan.

Trouvez d'abord une boîte dans laquelle vous pouvez ranger l'essentiel de ce dont vous pourrez avoir besoin. J'ai utilisé de petites boîtes à pansements, ou d'anciennes boîtes en fer-blanc. Ces tailles conviennent pour les tampons sans applicateur. Le volume pour un mois tient facilement dans cette petite boîte, qui trouve juste sa place dans le renfoncement des caisses de munitions, attachées dans un raft. Lorsque je suis à cheval, et que mes mains restent sales toute la journée sur la piste, j'utilise des tampons avec applicateur. Ils nécessitent une boîte plus grosse. Si vous utilisez des serviettes, il vous en faudra une encore plus volumineuse. Le dernier sac de marque que vous ramenez de la boutique, une petite valise de voyage en satin ou une vieille boîte à biscuit marchent tout aussi bien. Voilà pour le principal, qui reste à l'abri dans votre sac de couchage, dans votre sac à dos ou dans une caisse de munitions.

Maintenant, vous devez également avoir une boîte pour l'utilisation journalière - à garder a portée de la main - et que vous glissez dans une poche lorsque vous partez a la recherche d'un lieu tranquille. Un petit sac de cosmétique ou encore un sac plastique Zip-lock font l'affaire. À l'intérieur, vous y glissez le nécessaire pour la journée, peu importe ce que vous utilisez, et quelques sacs supplémentaires, servant de poubelle pour ranger les déchets (papier toilette usagé, tampons, serviettes, et tous les bouts de papiers ou de plastique). Plus, encore, un peu de papier toilette ou un paquet de mouchoirs en papier. Ces

Comment chier dans les bois

mouchoirs sont un bon choix : ils peuvent être distribués très poliment à ceux qui en ont besoin, et ce type de paquet peut être glissé dans une poche lorsque votre sac journalier commence à être plein. Pendant la journée, les petits sacs poubelle restent dans votre kit, coincé au fond de votre poche, dans une poche de selle, ou une poche extérieure de sac à dos.

À propos de mouchoirs et de papier toilette, avec les nouvelles réglementations de l'EPA, (voir chapitre III), les matières fécales humaines ne peuvent plus finir dans la nature. Le papier toilette sale doit être collecté, stocké et déposé séparément. Il peut être brûlé dans les feux de camp, ou lorsque vous êtes de retour chez vous, dans un poêle à bois. Il peut être encore déposé dans des toilettes portables, ou aux toilettes des points de départ des pistes, ou il peut être mis (avec précaution en tirant la chasse d'eau) dans des toilettes de la maison, lorsqu'elles sont reliées à une fosse ou à des égouts. Un effet induit des règlements de l'EPA, qui n'a pas été vraiment pensé jusqu'ici : j'ai la vision de monceaux de papier toilette ramené dans nos villes, grandissant tels des gratte-ciel sans fin. Mais nous pouvons aussi apprendre une autre technique pour nous en passer (voir chapitre VII).

Les containers temporaires dans lesquels vous allez stocker votre papier après usage devraient être nettoyables et réutilisables. Un sac à vêtements en coton, ou une nouvelle matière "testée dans l'espace" semblent être l'idéal. Vous pouvez le mettre au lavage après l'avoir vidé. Il est peut-être temps maintenant de sortir votre Tupperware. Ou de vous bricoler un tube à caca. Ou d'investir dans un Go With the J-UGH. Chacun de ces objets est à attacher à l'extérieur de votre sac, et peut contenir vos déchets pendant des jours. Sinon, à chaque campement le soir, lorsque vous réapprovisionnez votre nécessaire quotidien, vous aurez à transférer vos déchets dans un sac plus gros. Si ce transfert de papier toilette quotidien vous semble trop dégouttant, utilisez un sac neuf et propre chaque jour.

Dans les expéditions, ou dans les groupes organisés, il y a habituellement un point de collecte des ordures, proposant même parfois un tri entre déchets incinérables et déchets à emporter. Pour limiter le volume et le poids des déchets à remporter, les papiers sont brûlés le soir dans les feux, ou juste avant de quitter le camp au matin. Donnez tout ce que vous pouvez à ces poubelles. Mais informez-vous sérieusement des réglementations sur les feux de camp : les feux sont tout simplement interdits dans bien des coins, ou peuvent nécessiter des aménagements très précis, comme des foyers dans des grands bidons ou des réservoirs à cendre spéciaux. Gardez encore en tête que les tampons et les serviettes nécessitent un feu actif pour être complètement détruits. Une fois, alors que j'étais novice dans cet apprentissage, j'étais revenu au camp dans la nuit, pour glisser subrepticement un petit paquet bien ficelé dans les cendres. À ma grande consternation, pendant que nous buvions des verres, chantions des chansons et échangions nos histoires de la journée, le feu s'éteignit, laissant mon cadeau tout juste épluché par la chaleur… La chose la plus sûre, lors de sorties encadrées, est de demander au guide quelles sont les (bonnes) procédures pour les déchets…

Après avoir dit tout cela, l'approche de l'homme-lavement du chapitre III peut éventuellement commencer à sembler intéressante. Pour vous aider, je ne peux qu'ajouter une chose. Pensez à tous ces moments où vous êtes effroyablement abattues en prenant connaissance de telle ou telle situation désespérée, sur le plan écologique et humain, autour du globe - situations que vous aimeriez pouvoir changer, mais auxquelles vous ne pouvez pourtant rien. Pensez alors à ce que vous pouvez faire - concrètement - pour ramener vos papiers toilette souillés. Notre Planète Mère vous susurrera alors un gentil "merci" au passage, et vous saurez que vous êtes en train d'agir positivement. Jusqu'à ce que tout cela ne soit devenu que pure routine, vous pouvez avoir besoin de ce soutien là. Moi-même, je l'utilise encore…

Un mot sur les sondes pour femmes. Ces produits destinés à faciliter les mictions féminines existent en papier jetable, ou en plastique (lavable et réutilisable). Ces sondes ont une forme elliptique et allongée, elles se placent confortablement entre les jambes et permettent aux femmes de maîtriser leur jet. Cela permet une stratégie d'attaque frontale efficace pour perpétrer la technique du "pipi debout" de grand-mère. J'ai entendu l'histoire d'une femme qui en avait emmené avec elle lors d'un voyage en Europe, et qui, depuis, ne sortait plus sans elle.

Ces sondes sont utilisées dans les centres hospitaliers de rééducation, et sont une aide précieuse pour les femmes actives handicapées, lorsqu'elles se déplacent en fauteuil roulant. J'ai vu pour la première fois une promotion pour ces produits dans *Latitude 38*, une revue de bateau. Ils faisaient le bonheur de femmes marins, qui n'avaient plus à descendre dans la cabine pour faire leurs besoins - ces minuscules cabines, souvent à l'avant d'un bateau sont le pire endroit où s'accrocher si vous êtes sujet au mal de mer. L'utilisation d'une sonde ne nécessitant pas d'enlever quoi que ce soit, sinon de descendre la braguette d'un short ou de tirer de côté un bas de maillot de bain. Ces femmes pouvaient rester droites - à égalité avec les hommes - et pisser par-dessus le franc bord.

Mon intérêt initial à propos de ces sondes reposait dans l'idée que cela pouvait être aussi la solution pour "bien dormir" dans son sac de couchage. Avec un tuyau, je pourrais peut-être pisser à quatre heures du matin, sans avoir à ramper à l'extérieur de mon refuge. Dès le premier essai, un problème apparut. Les tuyaux assez longs (et vous avez vraiment besoin des plus longs dans ce genre de situation) ont une forte mémoire des nœuds. Avec un peu de patience, je pouvais bien l'étirer et le sortir du sac, mais le lâcher signifiait que le bout se mettait à arroser tout ce qui se présentait, tel un tuyau d'incendie hors de contrôle. En plus, si je voulais que le liquide s'écoule par la bonne extrémité, je devais respecter la gravité. Après avoir fait la chasse à un terrain parfaitement plat pour dormir, il me fallait encore dépenser beaucoup d'énergie pour rester au chaud dans mon sac tout en me soulevant suffisamment pour permettre... le bon sens d'écoulement. Même si j'ai entendu parler de femmes pour qui ça marche, je dis : oubliez cette technique !

Quelques instants d'effort dans le froid me font finalement apprécier d'autant plus la chaleur d'un sac de couchage. Et au fond, un lot quotidien de petites misères et inconvénients semble m'aider à garder une saine et humble perspective sur mon existence.

Pour qui souhaite expérimenter les sondes, l'investissement est faible. J'indique ici les coordonnées de la société qui les fabrique, car en dénicher à partir d'un simple ouï-dire nécessite forcément l'aide d'un détective privé de premier ordre.

Les modèles **Freshette**, en plastique ou en papier lourd, existent en différentes longueurs de tuyau.

International Sani-fem Company
P.O. BOX 4117, Downey, CA 90241
Tél. : 310-928-3435
Fax : 310-862-4373

Pour clore ce chapitre et vous réchauffer le cœur, je fais circuler cette histoire de sonde, telle qu'elle m'a été racontée par le vendeur d'un magasin de bateau à Sausalito :

"Après avoir soigneusement choisi une sonde de plastique rose, un couple de personnes âgées se présenta à la caisse, et la vieille dame aux cheveux blancs demanda doucement s'il était possible de lui installer un tuyau plus long. On répondit favorablement à sa requête, et la sonde disparut dans l'atelier du fond. Alors, en levant son joli visage empreint de toute la sagesse de l'âge vers son mari, elle murmura avec une voix d'ange : "Maintenant, mon cher, la mienne sera plus longue que la vôtre !".

Chapitre VII

Quoi ?
Pas de P.Q. ?

Ou comment faire sans.

Retournons au pléistocène
Un autocollant de Earth First

Pensez un instant à ces petits matins de banlieue, bien avant l'aube, lorsque vous émergez à contrecœur de la chambre douillette pour vous cogner au hasard des murs jusqu'à la salle de bains, et finir en simple ombre recroquevillée sur les toilettes. Avec vos yeux fermés au monde réel, vos coudes lourdement posés sur vos genoux et le menton enfoui dans un berceau de phalanges, vous finissez pourtant par apprécier la sérénité qui suit tout besoin impérieux correctement satisfait. Puis, alors que vous vous sentez enfin prêt à regagner la position horizontale pour retrouver les bras de Morphée, vous cherchez à l'aveuglette le papier toilette, faisant voltiger le rabat de plastique d'une pichenette… pour vous apercevoir que vos doigts ne font qu'égratigner un pauvre cylindre de carton nu. Les salauds ! Vous voilà forcé d'allumer 100 watts d'un coup, de ramper au travers de la pièce jusqu'au placard sous le lavabo, et d'y pêcher un nouveau rouleau. Vous allez même peut-être remplacer le rouleau vide (si vous êtes quelqu'un de bien), mais la dextérité nécessaire à cet effort, vous le savez, va vous obliger à abandonner définitivement un état semi-onirique, jusque-là miraculeusement préservé…

Ou que pensez-vous de celle-là : c'est un de ces dîners barbants, sans la présence de vieux amis. Cela pourrait être chez les Duquesnois et De Wendel, réunis dans l'immense manoir du vieux patron, ou c'est peut-être la famille de votre nouvelle fiancée qui se retrouve enfin pour vous jauger. Les sept plats du menu sont maintenant derrière vous, et pourtant le côté formel des relations ne s'est toujours pas détendu d'un iota. En fait, les invités sont tous installés dans le salon baroque ; aussi stoïques et statiques que des hérons bleus, en train de picorer calmement dans les desserts légèrement nappés, tout en sirotant un thé. Quand soudain, libérant d'un coup toutes ses propriétés secrètes, la purée de prunes épicée (celle-là même qui agrémentait le plat principal, et qui loge désormais dans le fond de votre estomac) vous intime de vous lever et de vous excuser - poliment, bien sûr -, au prétexte de donner un coup de main pour les assiettes.

Une fois à mi-parcours de la cuisine, sur la pointe des pieds, vous effectuez un détour vers la porte des toilettes, dans une parfaite imitation de Félix le Chat. Un tout petit peu plus tard encore, vous découvrez que votre hôte n'a pas renouvelé le stock nécessaire de papier toilette, stock qu'elle range toujours - mais vous l'ignorez, bien sûr - dans l'armoire de gauche, à l'entrée des lieux. Vous avez fini de fouiller toutes les étagères autour de vous. Rien ! Et maintenant, que vous reste-t-il à faire ? Est-ce que vous titubez jusqu'à la porte avec votre pantalon sur les chevilles, pour passer votre nez par la porte et appeler calmement "Psst, Psst !" Non. Lorsque les gens disparaissent vers la salle de bains lors d'une soirée, on imagine forcément qu'ils vont se pâmer devant la glace, ou vérifier

Comment chier dans les bois

qu'ils n'ont pas un bout d'épinard coincé dans les gencives, ou qu'ils vont juste "se rafraîchir" ou même peut-être passer un coup de fil, qui sait ! Les imaginer aller pousser pour faire un beau caca ? Jamais. C'est toute votre dignité qui passe directement par la fenêtre si vous osez réclamer du papier toilette. Vous mettriez à mal durablement la qualité de vos relations amicales ou mondaines…

Existe encore le grand classique des toilettes folles de la station service : il ne peut pas y avoir une personne sur notre planète à qui ce truc ne soit pas arrivé. L'histoire commence par la quête fiévreuse de la bonne place de parking, celle qui est juste en face des bons symboles collés sur la porte. Si possible libre, lorsqu'il y a urgence. Vous avez réussi par miracle à sortir de la voiture, puis vous avez traversé le trottoir comme un cow-boy écossais (démarche due à vos sphincters comprimés) et vous réussissez à ouvrir la porte des toilettes (Oh ! Miracle des miracles !) sans avoir à subir l'humiliation de devoir supplier pour en avoir la clef. C'est là que votre bonne fortune s'arrête net. Presque immédiatement, vous réalisez que : les seuls morceaux de papier de la pièce baignent tous dans les flaques où vous marchez ; qu'il n'a plus le moindre Kleenex dans vos poches ; que le dérouleur de papier toilette (*Mon Dieu, pourquoi moi ?*) est vide.

C'est par pur souci de mise en perspective que j'ai repris ces quelques histoires, en réponse à tous ceux qui imaginent que les mêmes expériences dans les bois sont du même ordre, voire pire. Vous pensez qu'il vaut mieux tomber dans un tonneau rempli de poisson pourri plutôt que de se confronter à ça ? C'est inexact. Il n'y a rien de dégouttant dans cette expérience. Vraiment. Comme pour tous changements majeurs, s'adapter à notre bon vieux papier toilette, roulé sur son tube cartonné, requiert certes un peu d'habitude.

Et pourtant. Il suffit d'un seule manœuvre couronnée de succès, et se nettoyer le derrière d'un coup de produit naturel biodégradable peut vite se transformer en une expérience fondamentale, d'où émerge nettement un sentiment nouveau : celui de sa propre relation écologique avec l'univers. Il semble même que pour certains, jubilant de cette liberté primitive nouvellement retrouvée, le cœur bienveillant des fées des forêts se soit fait entendre. C'est en tout cas ce que l'on m'en a dit.

Faire sans P.Q. me fait régresser. Très loin. M. Neandertal pouvait bien avoir le bas du dos tanné comme du cuir, tanné à ne pas avoir à s'essuyer du tout, mais je jure que je perçois sa présence fantomatique chaque fois que je quitte un coin où je ne laisse enterrées que des formes purement organiques de merdes et de feuilles ! Après chaque accomplissement de ce genre, je repars sereine, absolument ravie de cette petite note de respect inscrite dans la grande harmonie. De telles retrouvailles avec mes origines les plus profondes, non seulement m'étonnent toujours beaucoup, mais me rafraîchissent aussi concrètement qu'une bonne douche après une semaine d'efforts et de poussière en randonnée. D'un coup, je me sens puissamment reliée à un Tout cosmique, je me sens simple à l'ère de la complexité, parfaitement en accord avec le monde, tout en m'y inscrivant humblement. Et par-dessus tout cela, je me sens délicieusement liée aux anciens temps. Des tonneaux de poissons pourris ? On en est loin…

Quelle que soit votre motivation - que vous souhaitiez fonctionner aussi simplement que les tribus errantes primitives ou que vous ne vouliez plus avoir à trimballer vos rouleaux de papier et les poubelles afférentes pour les ramener - voici quelques suggestions pour vous permettre d'approcher cette technique. Les bibliothèques ne sont pas remplies de références pertinentes concernant les alternatives à l'utilisation du P.Q. et je n'en saurai jamais moi-même suffisamment pour avoir toutes les réponses. À la fin de ce chapitre, ce sera à vous d'innover, à vous de constituer votre propre expérience. Appelez ça de la recherche scientifique.

Lorsque j'ai débuté mon étude sur les feuilles, je me suis souvenue de ma vieille copine de lycée qui avait traversé l'Europe en réalisant son journal de voyage quotidien sur divers éléments de papier toilette, récupérés dans plusieurs pays. Elle revint aux États-Unis avec bien des supports allant des feuilles de papier brun, pliées, au papier paraffiné, aux bouts de carton, etc. Cela mérite, je pense, de réfléchir aux rapports qui existent localement entre les feuilles des plantes indigènes et la qualité du papier toilette disponible sur place. Si vous pensez avoir du mal pour choisir votre marque dans les rayons du supermarché, attendez donc de voir le spectre offert par la nature !

Un vaste assortiment de feuilles, dont certaines sont bien évidement plus appropriées que d'autres, est disponible pour vos ramassages. Mais attendez ! Quelques mots d'avertissement sont d'abord nécessaires :

Il existe de nombreux matériaux susceptibles de remplacer le papier toilette, et choisir des plantes vivantes ne doit être fait qu'en dernier recours. Si vous arrachez des feuilles, soyez spécialement attentifs. Choisissez toujours les feuilles ou les plantes mortes avant les vivantes. N'arrachez pas les fleurs sauvages ou les espèces rares. Ne ramassez rien dans les parcs ou dans d'autres zones protégées. N'arrachez jamais une plante et sa racine. Ne prélevez pas de larges bandes de végétaux, n'effeuillez jamais une branche entière. Prenez soigneusement une feuille par-ci, une feuille par-là - pour que personne, pas même les plantes (spécialement les plantes !) ne s'aperçoivent que vous étiez là.

Pour cette chasse aux feuilles, un cours de botanique n'est pas forcément nécessaire. Pas plus que vous n'avez à apprendre le nom des plantes par cœur. Mais gravez dans votre mémoire hévéa, sumac et autre orties urticantes. Un rendez-vous pour dîner avec le monstre de Frankenstein ou la fée Carabosse n'est qu'un joyeux souvenir comparé aux désagréments que peut provoquer la rencontre entre votre derrière et ces espèces urticantes. Si vous pensez sérieusement à vous confronter à ces techniques, et devenir un membre de cette espèce un peu New Age que je dénomme les Trekkeurs Exotiques (ceux qui errent après "ça" dans les pays lointains), je vous recommande de bien vous documenter sur les régions que vous souhaitez parcourir, pour être sûr que certaines variétés rares de conifères urticants ou d'orchidées carnivores figurent bien dans votre liste des "Surtout Pas Toucher".

Lorsque l'on parle feuille, il faut toujours choisir les larges et douces. Des plantes avec des feuilles plus petites conviennent encore mais souvenez-vous : une feuille par-ci, une feuille par-là. Fréquemment, le spécimen parfait est absent. À ce moment-là, la profusion des feuilles comme celles de la vigne sauvage de Californie, malgré leur texture glacée, peut offrir une solide alternative.

Avant votre cueillette, prenez le temps d'examiner attentivement les feuilles. Elles peuvent parfois être collantes (comme si elles étaient recouvertes d'une fine couche de sirop), rêches (avec une surface râpeuse), malencontreusement trouées par des brindilles ou des épines ou, plus sérieux, urticantes...

Tenez-vous à l'écart des nénuphars, des bambous et de certains types d'herbes - en fait des herbes coupantes - qui peuvent vous causer des estafilades qui vous mettront presque à l'agonie. Avec un peu d'attention, vous apprendrez vite quelles sont les plantes à éviter, et vous deviendrez un fin connaisseur en matière de feuilles.

Les forêts automnales - à ne pas confondre avec les posters kitsch de décoration d'appartement - nous offrent toute une sélection de feuilles de toutes formes. Toutes les feuilles tombées ne se dessèchent pas, ni ne se craquellent immédiatement une fois au sol. Sous certains climats, beaucoup restent souples jusqu'aux mois d'hiver. Les hivers en montagne, lorsque la flore caduque est rare, peuvent poser quelques problèmes. Pendant plusieurs mois d'affilée, dans la plupart des territoires d'altitude, les conifères sont quasiment la seule sélection possible. Avec un peu de créativité, vous pouvez mettre à bon usage un lit d'épines séchées, pour autant que vous ayez le temps de les aligner toutes dans la bonne direction. Les branches et les bâtons au sol peuvent devenir des outils intéressants, pour peu qu'ils soient lisses et que vous n'oubliez pas d'en retirer l'écorce. Les forestiers du Nord-Ouest utilisent un truc qui fait aussi de très belles fausses moustaches pour Halloween : les mousses brun sombre de Bryolia, qui pendent abondamment des arbres en longues formes vaporeuses. Il existe aussi l'Alectoria, vert-jaune.

Les pommes de pins sont aussi réputées être de bons outils, spécialement lorsqu'elles sont nettoyées de leurs petits cônes plats et choisies parmi les plus petites. Je connais un rafteur de renommée mondiale qui ne jure que par les vieilles pommes de pins de Douglas détrempées par l'eau.

Mon compagnon de ski de randonnée ne jure, lui, que par la boule de neige comme coup de fouet hivernal - c'est-à-dire, après que vous avez dépassé le choc initial. Essayez. Pour moi le froid reste un inconvénient mineur face à l'idée de retrouver les odeurs pestilentielles des w.-c. portables du camp, toujours en plein soleil, mijotant leur drôle de cuisine.

Mais retournons ensemble dans les grands bois. Si vous farfouillez un peu dans la nature à la recherche d'objets-équivalents-papier, vous n'êtes pas loin de trouver bien des matériaux adéquats. Essayez donc de douces pelures d'écorces, des bois flottés, des coquillages et les grandes plumes. Restez à l'écart des mousses. Elles sont fragiles, et ne devraient pas être ramassées. Elles s'effritent inutilement de toute manière.

Dans bien des campagnes autour du monde, il existe des gens qui n'ont jamais vu de leur vie de papier toilette. Dans certains coins au Moyen-Orient, les gens prennent un tissu mouillé lorsqu'ils vont aux champs. La coutume qui consiste à ne manger qu'avec la main droite n'y est pas née d'une vision divine particulière, mais d'une hygiène bien comprise : c'est la main gauche qui essuie. Je ne voudrais pas vous décourager si ce système particulier vous semble très bien fonctionner, mais avant de statuer définitivement sur sa généralisation, il faut garder en tête (comme il a été vu dans le chapitre II) que cette méthode implique de transporter le tissu et deux petits pots d'eau. Le second pot est utilisé pour rincer le premier, et éviter de répandre directement le contenu souillé par les matières fécales directement dans l'eau. Au final, toutes les eaux de lavage et de rinçage doivent être enterrées très loin de tout cours d'eau.

Il existe une autre technique "sans papier", mais elle n'émerge généralement qu'en terme d'option face à nos vieilles habitudes occidentales, qui exigent, tel une loi culturelle, que nous gardions toujours de copieuses masses de papier entre le bout de nos doigts et notre derrière. Cette approche nous vient de pays lointains, mais aussi d'un médecin-généraliste-barroudeur, le docteur Charles Helm, né en Afrique du Sud, mais exerçant aujourd'hui dans un coin reculé de Colombie Britannique. Nous appellerons cette technique : *l'essuyage à l'eau* (water wipe dans le texte, ndt).

Rien d'autre n'est nécessaire qu'un petit container pour l'eau : une gamelle, une tasse, une bouteille de coca ou un bol font l'affaire. Remplissez votre container, et amenez-le jusqu'au lieu désigné. Puis après avoir fait sur votre trou, mettez un peu d'eau dans votre main libre - sans jamais contaminer l'eau fraîche - et là, arrosez ou faites couler doucement. Cette procédure au goutte à goutte ne pose aucun problème aux chieurs agiles et aux bons skateborders, mais je trouve qu'elle reste une manœuvre délicate. Le nettoyage répété d'une main - par coutume la gauche - est presque aussi efficace.

Cette technique de l'essuyage à l'eau a pourtant ses plus. Pour les minimalistes, elle économise de l'espace et du temps - on amène tout/on laisse tout - et même des arbres (le papier toilette n'est pas recyclable). À moins de se trouver dans un terrain vraiment pauvre en eau, l'essuyage à l'eau est le meilleur moyen de procéder. (Même si du papier peut toujours être transporté, en cas de diarrhées par exemple). Et n'oubliez pas de vous laver les mains !

Mais le Dr Helm reprend ensuite l'ensemble du sujet à un tout autre niveau, en expliquant que nous pourrions même nous passer de l'eau si nous pouvions rapprocher un peu nos régimes alimentaires de ceux des… chevaux. Et finir par poser comme eux de jolis crottins, propres et nets. Helm pense qu'un humain en bonne santé n'a pas besoin d'arpenter la nature avec son rouleau de P.Q., même s'il admet que "les inconscients et les prudes dans nos rangs ne seront jamais impressionnés par un drapeau de papier accroché dans les buissons…"

Dans une longue lettre, il continue sur sa lancée :

"Vous avez déjà regardé un cheval chier ?… Le processus débute avec un pet en guise de préambule, suivi d'une décontraction volontaire des sphincters annaux, et du passage d'un certain nombre de crottins très bien formés, ni trop mous, ni trop durs, suivis d'une contraction calme et coordonnée… (qui termine l'opération). La chute au sol se fait sans qu'aucune substance n'adhère plus au cheval. Le processus dans son ensemble est simple, efficace, et par-dessus tout ne nécessite pas de papier toilette. Nos régimes occidentaux ont causé de lourds dommages à notre régulation intestinale, générant des fèces de consistances variables, qui nécessitent du coup un accroissement considérable de nos besoins en papier toilette. Nous n'avons pas seulement perdu l'art de chier dans les bois. Nous avons perdu l'art de chier tout court. Peut-être est-ce lié à la peur inhérente d'être vu avec un étron à moitié dedans, à moitié dehors, mais en fait, tout mortel moyen contracte son sphincter dès qu'une fraction respectable du résultat voit la lumière du jour. Aucun étron ne peut supporter ce type de strangulation : inévitablement la portion distale se brise, la partie proximale demeurant à l'intérieur, et un segment substantiel près des sphincters reste collé tout autour. Je suspecte la plupart des humains de comprimer ainsi leurs sphincters une demi-douzaine de fois par défécation. Et c'est l'industrie du papier toilette tout entière qui se frotte les mains".

Il y a vraiment des arguments en faveur d'un régime sans viande et riche en fibres !

Les terrains arides, sableux sont ceux qui manquent le plus désespérément de substituts au papier toilette. Dans le lit d'une crique asséchée, vous pouvez parfois trouver un galet rond, rôti par le soleil - l'outil suprême dans l'art de l'essuyage ! Mais faites attention. Sous un soleil féroce, les pierres peuvent emmagasiner une quantité de chaleur suffisante pour marquer le bétail au fer rouge. Avant d'utiliser une pierre, testez-la dans votre main, puis sur votre poignet, comme vous le feriez avec un biberon d'enfant. Et souvenez-vous qu'il ne faut pas laisser de galet souillé dans le lit de cette crique.

Et bien voila. Maintenant vous savez tout. Tout ce que je sais à l'heure d'aujourd'hui. Hum. Tout ?

Eh bien, une fois j'ai rencontré un homme qui m'a suggéré d'utiliser la méthode des hommes des cavernes pour laver les poêles et les casseroles : se gratter le cul avec du sable. Mais je me suis douté que ce vieil acariâtre avait vraiment le cul tanné comme du cuir. Je crois que je préfère m'en tenir à mes boules de neiges et mes galets.

Maintenant, c'est à vous de faire.

De quelques définitions du mot merde

ndt : la langue anglaise possède un nom (*shit*) et un verbe (*to shit*) identiques pour désigner ce qui, en français, est distingué de deux mots différents : la *merde* (n.m.) et *chier* (verbe). Dans cette édition française, cette différence est traduite "librement", pour en faciliter au mieux la lecture. Les définitions qui suivent tiennent compte au mieux des expressions courantes et des formes idiomatiques américaines de l'édition originale. Le lecteur français ou francophone pourra bien sûr les compléter, selon ses propres sources et connaissances du sujet. Le domaine est vaste. Pour exemple, cette expression venue de Suisse romande : "Blanc comme une merde de laitier".

Chier : *v.i. et t.* ; *vulg.* Déféquer/ *Très fam.* Ça va chier : ça va faire du bruit, du remue-ménage - Faire chier : importuner vivement - Se faire chier : s'ennuyer, peiner sur. (du latin *cacare,* fin XIIIe s/XIXe s., Chialer, alter. par dissimilation vocalique (chier des yeux)/Chiasse, fin XVIe s/Chieur 1520/Chiottes XIXe/Chienlit 1534, Rabelais, de Chie-en-lit…).

Chier des briques (shit bricks) : 1° Se faire du souci. 2° Être terrifié. En français : se chier dessus. Fournir un effort conséquent, avoir du mal à faire quelque chose.

Envoyer chier (shit can) : 1° Jeter au loin. 2° Bannir. 3° Virer.

Chier de la salade de fruit (shit fruit salad) : (Egalement : chier des pièces, chier de la glace) : se dit d'une prima donna "Elle est vraiment spéciale, elle doit -"

Chier dessus (shit on) : 1° Ruiner, détruire. 2° Traiter de manière injuste, souvent en étant particulièrement grossier ou malveillant ou cassant.

Chier dans les draps (shit in the bed) : 1° Dénigrer son propre nid, ou bêtement gâcher ou dénigrer une situation satisfaisante. 2° Mourir.

Merde : I. *n.f.* 1° *Vulg.* Excréments de l'homme et de quelques animaux. 2° *Fam.* (souvent au pl.) Ennui, difficulté. "Je n'ai que des merdes en ce moment." Être dans la merde : se trouver dans une situation difficile, inextricable. 3° *Fam.* Être ou chose sans valeur. De merde : mauvais, détestable, très gênant.

II. Interjec. *Fam.* (exprimant la colère, le mépris, etc.) Eh, merde !
(XIIIe s., *renard, Pop.* : du latin *Merda*/Merdeux : 1392/Emmerder : XIVe
s/Emmerdement : 1867, Delveau, etc.)

Une merde (a shit) : terme péjoratif
Mauvaise merde (bad shit) : Un bien, un produit de très basse qualité,
génériquement employé pour les drogues vendues dans la rue.
Grosse merde (big shit) : 1° Un problème, un événement inattendu.
2° Une personne imbue d'elle-même, avec un sens hypertrophié de
sa propre importance.
Blow (a person's) shit away : Tuer, étonner (U.S., figuratif)
Merde de taureau (Bullshit) : 1° Mensonge, non-sens. 2° Détritus,
déchet sans usage. 3° Une interjection soulignant une profonde
désapprobation.
Il peut chier des merdes carrées (Can eat sawdurst and shit 2 x 4's) :
1° Être surchargé de boulot. 2° Être sur-compétent.
Merde de poulet (Chikenshit, n.) : I. *loc.*1° Un trouillard. 2° Une
conduite misérable. II. *Adj.* : peureux.
Flot de merde (crock of shit) : Quelque chose de faux, ou de décevant
"les promesses électorales sont généralement un -"
Etre profondément dans la merde (deep shit) : Affronter de gros pro-
blèmes, également "être les pieds dans la merde".
Servir la merde (dish out shit) : Réprimander ou punir. Egalement
abuser verbalement.
Est-ce que les ours chient dans les bois ? (Do bears shit in the woods ?) :
Réponse rhétorique après l'affirmation d'une évidence, une litote.
Il ne fait pas la différence entre la merde et du cirage (Doesn't know
shit from Shinolina) : Il ne peut pas faire la différence entre un excré-
ment et du cirage marron. *Syn.* : Idiot.
Merde de chien (Dog shit) : 1° Par terre, sale, jeté. 2° Interjection
exprimant une forte désapprobation : "c'est de la".
Ne me sert pas cette merde (Don't give me that shit) : 1° Tais-toi. 2°
Ne me fais pas marcher.
Con comme une merde (Dumdshit) : Un incompétent pathétique.
Manger sa merde (eat shit) : 1° Perdre un jeu, un pari. 2° Faire une
très mauvaise affaire ; intégrer ou supporter des insultes, ou même
des abus physiques. 3° Se déconsidérer face à une personne.
Ramasser sa merde (get your shit together) : 1° Prendre un profond
tournant personnel. Devenir plus organisé ou concentré. 2° Invitation
à se presser.
Faire attention (Give a shit) : *ibid.* "Fais un peu attention".
Bonne merde (good shit) : Un produit d'excellente qualité ou saveur,
génériquement employé pour les drogues vendues dans la rue.

Merde divine ! (Holy shit !) : Exclamation de surprise, de découverte ou de révélation soudaine, ou de peur.

Merde de cheval (Horse shit) : 1° Mensonges. 2° Une interjection soulignant une profonde désapprobation.

C'est pas de la merde (Hot shit) : Un acte de classe. L'expression populaire peut être sarcastique "depuis qu'il a gravi l'Everest, il ne se prend pas pour de la merde."

C'est pas de la merde (Built like a brick shit house) : 1° Valable. 2° Bien fait, bien pensé, bien réalisé.

Bien connaître sa merde (know your shit) : Être un expert dans son domaine.

Petite merde (little shit) : 1° Une personne de petite stature. 2° Assez ennuyeux. 3° Terme affectueux pour désigner un gentil voyou.

T'es chié/C'est chié (No shit !) : 1° Exclamation, recouvrant un haut niveau d'excitation mais encore la surprise, voire un questionnement. Souvent équivalent à : "Sans blague ?" Utilisé de manière sarcastique en réponse à quelqu'un que l'on connaît bien. 2° Exclamation marquant un acquiescement sincère.

Oh merde ! (Oh shit !) : Exclamation de surprise ou de dégoût ; Prononcé/Oooooh Merde/indique la survenue prochaine de désagréments. Peut également signifier : Zut ! Lorsque l'accentuation porte sur la première syllabe, indique la douleur, l'embarras ou un désastre colossal. L'accentuation du "Oh" exprime le regret ou la sympathie, voire la timidité.

Vieille merde (Old shit) : Choses ou idées devenues obsolètes, schémas de comportements qui ne marchent plus. Vieilles affaires, ou vieille voiture.

Tas de merde (pièce of shit) : 1° Un objet ne fonctionnant plus, vieux, usagé. 2° Une mauvaise personne.

En chier de peur (scare the living shit out) : Être terrorisé.

Réservoir à merde (Shitcan) : Toilette, poubelle.

Le sourire du mangeur de merde (shit-eating grin) : Un sourire déclaré, satisfait.

Un bâton merdeux (shit-end of the stick) : La partie pourrie, difficile d'un contrat, d'un travail, d'une tâche à accomplir.

Les merdes arrivent (shit happens) : Recouvre le sentiment que même les meilleurs plans peuvent foirer. Souvent vu sur les stickers de pare-chocs.

Ça chie dans le ventilo (Shit hits the fan) : 1° Une situation violente, ou déplaisante, souvent en référence à des réprimandes venant d'une personne hiérarchiquement supérieure. 2° Un remaniement organisationnel majeur.

Merde, mec ! (shit man !) -1° Exclamation générique pour la surprise, le dégoût, la joie ou la colère. 2° Expression de plaisir, d'acquiescement, d'étonnement.

J'en chie sur les roues (shit on wheels) : 1° Une personne qui abat beaucoup de travail. 2° Une terreur immense. 3° Un travail que l'on ne veut pas faire, et que l'on réalise pourtant.

Chie ou dégage du pot (shit or get off the pot) : "Arrête de perdre du temps ou de rester planté là. Prend une décision."

En chier des barres (shit out of luck) : N'avoir que mauvaise fortune.

Reste loin de ma merde (stay out of my shit) : Admonestation, invitation à se préoccuper de ses propres affaires. Arrêter de tout mélanger.

Sur comme une merde (sur as a shit) : Prédire une occurrence définie et difficilement évitable.

Va chier : 1° aller déféquer. 2° invitation à s'en aller, à quitter les lieux, sans discussion.

Avaler sa merde (take shit) : Accepter une situation d'abus ou de ridicule.

C'est la merde (the shits) : Situation déplaisante, difficile à solutionner "camper par ce froid, -". 2° diarrhées.

Grosse merde (tough shit) : 1° Expression signifiant le manque de chance, similaire à "Pas de pot !" 2° Réponse colérique à une question. Plus définitive que "Je vous demande pardon ?" (*ib.* : va chier).

Etre dans la merde jusqu'au coup (Up shit creek) : Se trouver dans une situation délicate, sans issue.

Chiottes, n. m. (shitaree). *Fam.* Les toilettes. "aller aux -".

Fouteur de merde (shit-ass) : Un individu susceptible de compliquer les choses ou une situation donnée.

Merde de piaf (shit-bird) : Nom affectueux, parfois légèrement méprisant, adressé à un jeune chenapan.

La tête pleine de merde (shit-brain) : Expression désignant soit 1° Une difficulté de concentration : "j'ai -, ce matin", soit 2° Un individu jugé peut intelligent, peut réactif : "Il a -, ou quoi ?"

La tête dans le seau (shit faced) : 1° Être ivre, malade ou mal en point physiquement. 2° Se consacrer exclusivement à une tache, un travail.

Chier des bulles (shit-fire) : Prévention, attention amenée sur une réaction prévisible et délicate à maîtriser. "Ça va -"

Tête de merde (shit-head) : Expression à mi-chemin entre chieur et fouteur de merde.

Trou du cul : 1° L'anus. 2° Un endroit indésirable. "Le - du monde" 3° Une personne indésirable, peu considérée.

Merdeux. Adj. (shitty) : 1° Inepte. 2° Inférieur, laid, mauvais ? Dénote un état dramatique, souvent le résultat d'une épreuve physique, d'une faute. "J'ai fait caca au beau milieu du chemin, et maintenant, je me sens tout -".

Postface

Nous avons besoin d'adopter une relation profonde et amicale avec la terre, l'eau et l'air. Je n'ai pas écrit une seule fois le mot de "nature" dans ces pages sans une certaine tristesse, ni sans autocritique. Je garde en mémoire les mots si clairvoyants du chef des Sioux Oglala, Luther Ours Dressé :

"Nous ne pensions pas que les grandes plaines ouvertes, les moutonnements des collines et les flots des rivières étaient "sauvages". La nature n'était sauvage que pour l'homme blanc, et il n'y avait que lui pour trouver ces terres "infestées" d'animaux "sauvages" et de tribus "sauvages". Pour nous, tout était apprivoisé. La terre était généreuse, et nous étions entourés de la bénédiction du Grand Esprit. Jusqu'à ce que l'homme aux longs poils vienne de l'est, et qu'il répande dans sa folie brutale l'injustice sur nous et sur nos familles bien aimées, rien de tout cela n'était "sauvage" pour nous. C'est seulement lorsque le moindre animal de la forêt finit par s'enfuir à son approche que pour nous aussi "l'Ouest Sauvage" commença."

Comment chier dans les bois

Remerciements

Quelqu'un a dit récemment : "c'est le livre le plus court et avec les plus longs remerciements que je connaisse". Effectivement, et cette liste reste incomplète : la majeure partie des personnes ayant contribué à cet ouvrage n'est même pas citée ici...

Ces chapitres se sont nourris de bien des histoires que j'ai recueillies, et qui appartiennent de fait à beaucoup de gens. Que puis-je dire d'autre ? Un regard rapide à cette liste me renvoie à la montée d'émotions qui m'a submergée lorsque j'ai décidé de devenir pour la première fois auteur, avec ce sujet : la merde.

Des remerciements sans nom vont à ces gens : À Jon Runnestrand, qui a toujours soutenu mon choix de suivre ces pistes peu fréquentées, me rappelant que, lorsque le désastre est là, il faut continuer à ramer jusqu'au bout !

À Mark DuBois et Marty McDonnell, qui, il y a bien des années maintenant, m'ont gentiment poussée hors de mes habitudes citadines, en me présentant Mère Nature avec une saine dose de respect, et qui m'ont ainsi offert les premières preuves de l'existence de ces joies simples et réelles de la vie. Et à Mark, pour sa contribution et sa relecture attentive lors de la première édition.

À Craig Reisner pour avoir amélioré, ultérieurement, ma sensibilité aux questions de l'impact humain sur la nature. À Rick Spittler, pour les heures de réflexions partagées sur l'environnement.

À Howard Backer, médecin, pour son travail sur le chapitre Giardia de la première édition, et pour toutes les mises à jour qui ont suivi.

À Bruce et Suzanne Degan, pour leurs encouragements, leur cuisine et leur ordinateur. À Michael Fahey, pour son amitié motivante et particulière, ainsi que pour son ordinateur.

À mes précieuses amies Carol Newman, Fredi Bloom, Martha Massey, Joanne Solberg, Jennie Shepard, Linda Cunningham, Jan Reiter et Katya Merrell, pour avoir survécu avec moi à la folie inquiétante de la vie quotidienne. Et à Fredi pour son inextinguible légèreté face à un sujet aussi grave. À Joanne, pour son lumineux salon, perpétuellement ouvert, et pour nos nuits entières à discuter comme des sœurs.

À mon cher Jean Hayes, pour sa clarté, et la liberté qu'il a su me donner face à mon devenir.

Au tardif Fred Bond et à sa femme Edith, ainsi qu'à Ronita et Frank Egger qui furent comme une famille pour moi.

À ma mère, aujourd'hui partie pour toujours, qui a cru en moi et en ce sujet alors qu'elle avait quatre-vingt-dix ans.

À Silvio Piccinotti, pour ses merveilleuses vieilles histoires, sa générosité et le savoir qu'il m'a transmis dans la maîtrise des jeunes chevaux : nos balades matinales m'ont permis de garder les pieds sur terre lors de l'écriture du manuscrit original, et m'ont préparé à l'évolution dans ma vie.

À Susan Adams pour l'honnêteté de son amitié, pour la sincérité sans fard de ses encouragements, et ses relectures du manuscrit lors de sa préparation.

À Suzanne Lipsett, amie de cœur et éditrice, pour m'avoir donné d'honnêtes (mais souriants) petits conseils.

À Sal Glynn, l'homme qui aurait pu devenir vraiment grossier, s'il n'avait pas fini par devenir grand éditeur. Ce fut un plaisir !

À Robert Stricker, mon agent, pour avoir patienté devant ma porte et fait que tout arrive et arrive et arrive encore. Ainsi qu'aux éditions Ten Speed Press pour leur solide et rassurante expérience de l'édition.

Aux innombrables personnes qui m'ont offert encouragements, conseils, inspiration, savoir et aide. Pour n'en citer que quelques-unes : Connie Thomas, Marilla Pivonka, Bruce Raley, Robert Volper, Bonnie Evans, Norm Frankland, Art Schemdri, Carolyn Takher, Susan Still, Catherine Fox, Esther Young, Elizabeth Young, Stephen McDade, Lorene et Ron, Cameron Macdonald, John Suttle, Gary Ellingson, Fran Troje et Patricia Doyle.

À tous ces gens qui m'ont aidée (voix sans visage), à l'Agence de protection de l'environnement (EPA), au Centre de contrôle et de prévention des maladies (CDCP), aux Services forestiers des États-Unis (U.S.F.S.), au Bureau d'aménagement du territoire (BLM), au Service des parcs nationaux (NPS), au Service des parcs canadiens (CPS), au Bureau des permis de la rivière du Grand Canyon (GCRPO), dans de nombreux districts sanitaires, à la bibliothèque publique de San Anselmo, à la bibliothèque médicale de l'U.C., ainsi qu'à la bibliothèque du St Patrick Hospital de Missoula, sans omettre celle de Maureen et Mike Mansfield. Je ne cite directement ici que quelques noms : Bob Abbott, LuVerne Grussing, Roger Drake et Baird Beaudreau.

À Lenore Anderson du Colorado Outward Bound ; à Rich Brame du National Outdoor Leadership School ; au docteur Charles Helm, Donald Studer et à Shirley Volger Meister. À Dan Ritzman pour les sorties pluvieuses. À toute l'équipe de Recreational Equipment, Inc. (REI), de Marin Outdoors, à l'équipe du Trailhead de Missoula.

À tous ceux qui m'ont écrit (il n'y a eu aucune faiblesse dans l'enthousiasme à commenter ce livre…) : vous trouverez beaucoup de vos informations reprises dans cette édition révisée.

Et au final, bien sûr, merci à tous qui ont partagé sans honte avec moi les pires histoires de merde, sachant que j'allais les étaler à la face du monde. Vous savez qui vous êtes. Je ne mentionnerai aucun nom.